新 潮 文 庫

ロードス島攻防記

塩 野 七 生 著

新 潮 社 版

4666

イタリア語のカデットという言葉を、百科全書は次のように解説している。

――フランスはガスコーニュ地方に生れ、中世以降全ヨーロッパに広まった言葉。封建貴族の二男以下の男子を意味した。中世の封土制下では、家督も財産も長男一人が相続する習慣であったので、二男以下は、聖職界か軍事の世界に、自らの将来を切り開く必要があったのである。

ただし、現代では、貴族の二男以下の子弟という本来の意味は消え、軍事の面だけが残って、陸海軍の士官学校の生徒、つまり士官候補生を指す名称として使われている。

cadet（仏）　cadet（英）――

これより語るのは、十六世紀初頭に生きた、若い三人のカデットの物語である。

この十六世紀初頭という時代は、半世紀前のコンスタンティノープルの陥落を機にはじまった東のトルコ帝国の進攻に直面させられた西欧が、トルコと同じ中央集権型の大国主義を確立することによって、対抗しようと試みていた時代でもあった。

そして、社会の変動は、しばしば、戦術の転換と軌を一《いつ》にするものである。コンスタンテイノープルの攻防で実証された大砲の威力は、以後の戦いの様相を一変させることになったが、それがはじめて本格的に展開されたのが、このロードス島の攻防戦である。

また、この戦いで「近代化」されたトルコ軍に対決したのが、中世の典型的な産物とされた聖ヨハネ騎士団である。騎士団に属す騎士たちは、貴族の血をひく者でなければならず、戦士であると同時に、一生をキリストに捧《ささ》げる修道士であることも要求された。

しかし、歴史の幕を開けるかそれとも閉じるかには関係なく、若者同士で争われるところに特色をもつ戦いがある。ロードス島攻防戦の主役たちは、敵味方を問わず、いずれも二十代の若者で占められていた。

トルコのスルタンで、後に大帝と尊称されることになるスレイマン一世は、当時、二十八歳。

対する聖ヨハネ騎士団では、ジャン・ド・ラ・ヴァレッテ・パリゾンが、同じく二十八歳。ジャンバッティスタ・オルシーニ、二十五歳。アントニオ・デル・カレットは、二十歳になったばかりだった。

目次

ロードス島攻防記

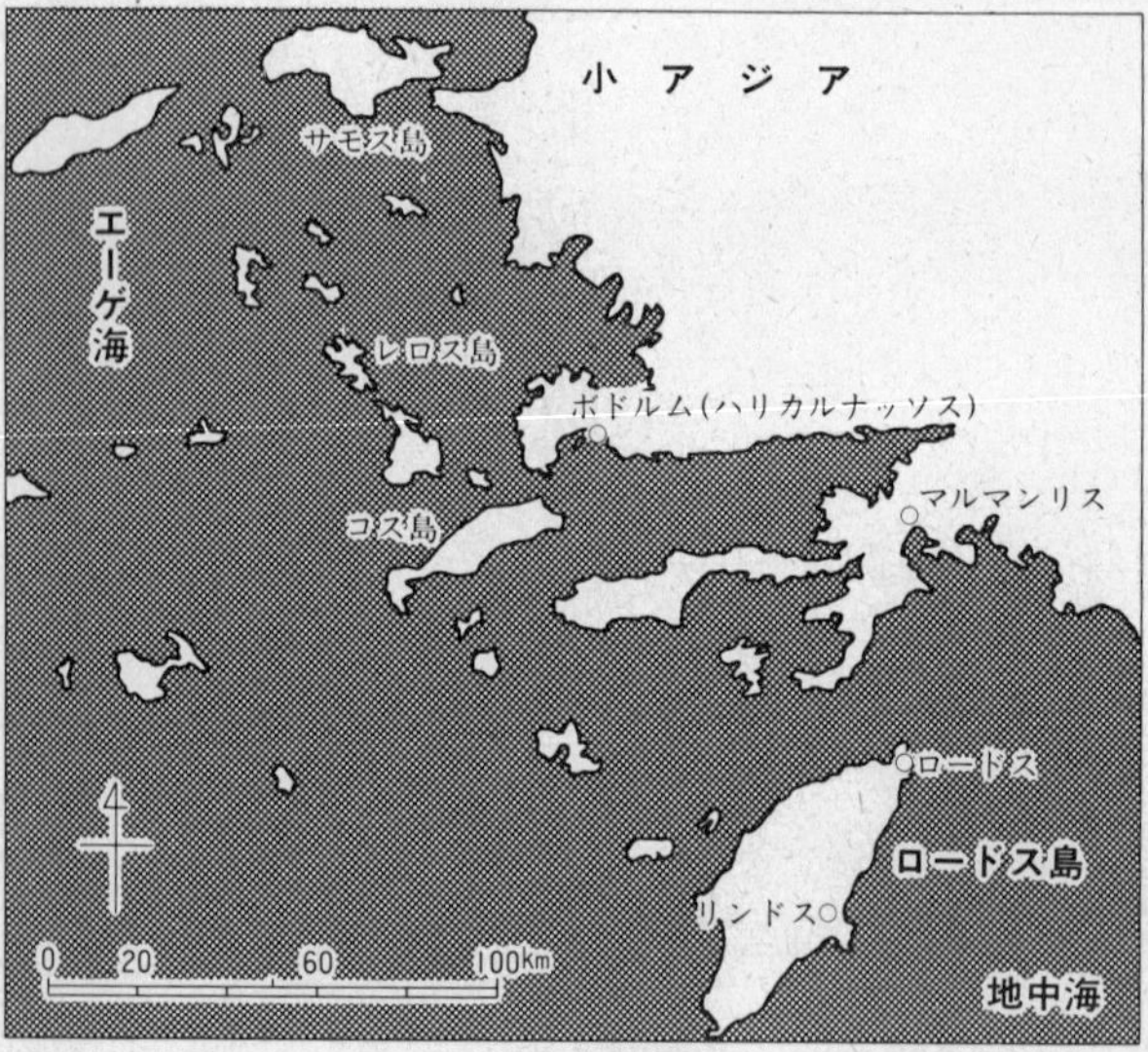

小 ア ジ ア
サモス島
エーゲ海
レロス島
ボドルム(ハリカルナッソス)
マルマンリス
コス島
ロードス
ロードス島
リンドス
0
20
60
100km
地中海

ロードス島近海図

第一章　薔薇《ばら》の花咲く古《いにしえ》の島

到着

一五二二年四月、夕映えに輝くロードス島を右舷《うげん》に見ながら北上して行く、一隻《せき》の大型帆船があった。

南北に長く木の実を海上に浮べたようなロードス島の西側は、エーゲ海では春から秋にかけて支配的な北西風を避けるに適した良港に恵まれないためか、海上からでは人の住む気配も見えない。日没まぢかのやわらかな陽光を全面に浴びているのは、うっそうと繁《しげ》る樹木と荒々しい岩肌《いわはだ》と、延々とつづく無人の砂浜だけである。

逆風なのに巧みに帆をあやつりながら進む船は、ジェノヴァの商船だが、このたびのオリエント行きは、ロードス島を本拠にする聖ヨハネ騎士団の依頼を受けて、武器弾薬や小麦を島に運ぶ目的で傭《やと》われた船だった。

ミラノで購入した武器弾薬の積みこみを終ってジェノヴァを出港した後も、ナポリに寄港しシチリアのメッシーナにもしばらく停泊したが、これとて小麦の買いつけと積みこみのためで、ジェノヴァの船乗りのあやつる大型帆船ならば、寄港なしの一カ月の航海など平然とこなす。だから、積み荷の特殊なことからヴェネツィア共和国領のクレタ島に寄港できず、メッシーナを出た後はロードスまで直行せざるをえなかった事情も、たいした不利にはならなかった。

ただ、クレタは北岸に主要都市が集中しているので、その前の海上を横切ったりすれば、ヴェネツィアの海上警備隊の注意をひかずにはすまない。よけいなめんどうは避けようと思えば、クレタの南岸を大きく迂回《うかい》し、その後で北上してロードスへ向う航路をとるしかなかった。トルコのスルタンからの降伏通告を無視して臨戦体制に入った聖ヨハネ騎士団とちがって、ヴェネツィア共和国は、トルコとの友好条約を守る意志を変えず、中立の立場を貫くと表明していたからである。

この船に、従僕《じゅうぼく》を連れた若者が一人乗船していた。ジェノヴァの近くのフィナーレを領するデル・カレット侯爵《こうしゃく》の二男で、名を、アントニオと言った。黒に近い褐色《かっしょく》の巻毛に、それと同じ色の眼《め》が、青白いと言ってもよいひたいをきわだたせている。立居振舞のおだやかなことと口数の少ないのが、若者の年齢を思えば不思議な印象を与えたが、一カ月におよんだ船長の食卓の主賓《しゅひん》として、同席者たちに気まずい想《おも》いをさせるほどではなかった。貿易商人からなる他の客たちも船の乗組員も、書物を開いていなければ水平線の彼方《かなた》に静かな視線を

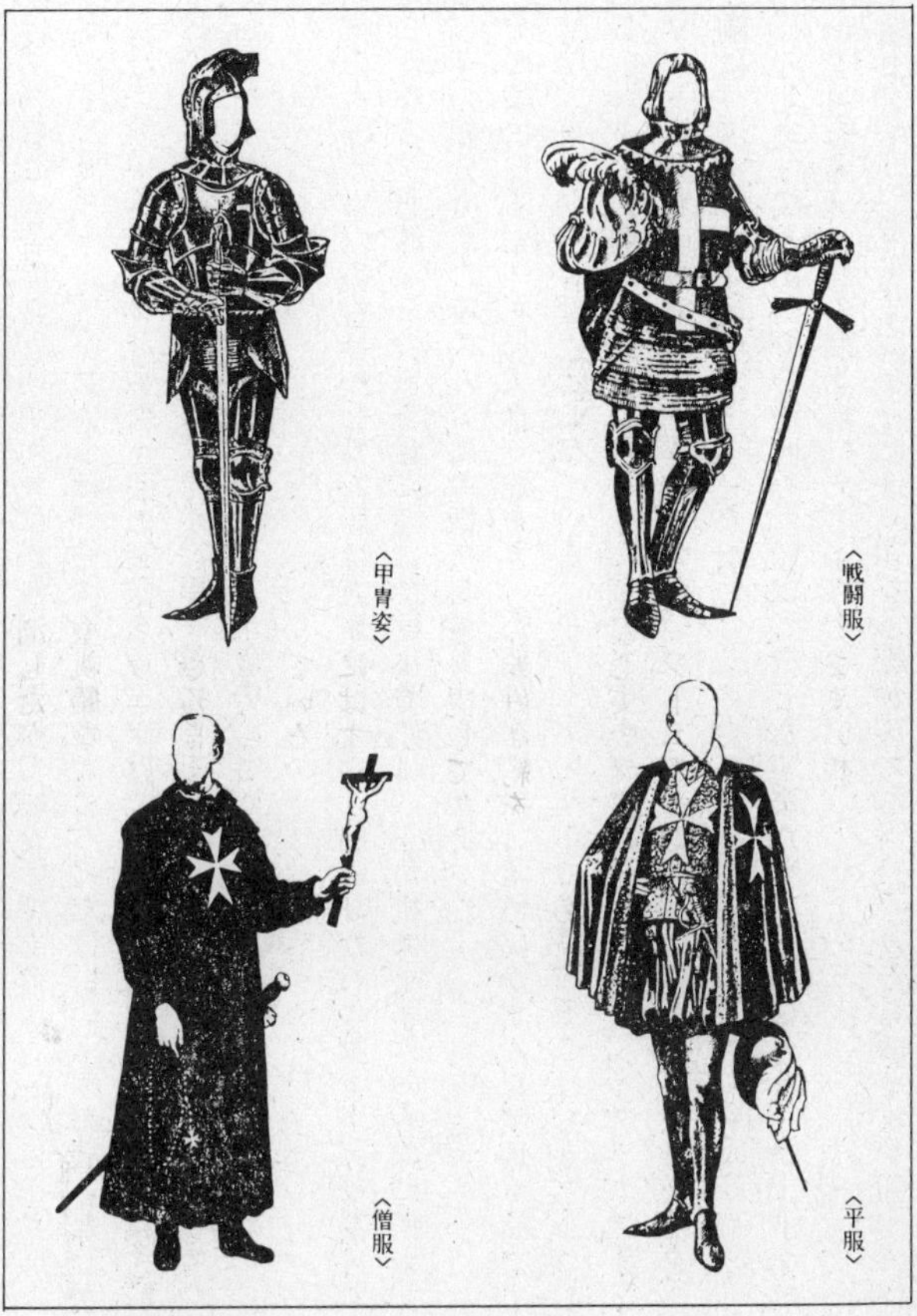

聖ヨハネ騎士団の服装

向けているこの若者に、いつのまにか自然に慣れていたのである。

アントニオ・デル・カレットは、いつも、胸のところにだけ白い十字の縫いとりがほどこされた、黒一色の聖ヨハネ騎士団の制服を身につけていた。これは、騎士団に属す騎士の、平時の制服であり僧衣である。だが、黒一色に身をかためていても、黒いタイツでつつまれたしなやかな脚の線に、なんとしても二十歳の若さがにじみでてしまうのだった。

帆の大きくはためく音がして、船は方角を変えた。船乗りたちの動きが、ひときわあわただしくなる。北西からの風を背に港に接近するには、三角帆は小ぶりのものに代え、四角帆は、下の部分をたたみこんで風の抵抗を減らす必要があった。

その頃《ころ》になると、右に大きく舵《かじ》をきった船の左舷に、紫色にかすんだ陸地も見えてきた。陸地は、東に向って延々とのびている。小アジアの南岸であり、そこはもうトルコの領土である。ロードス島は、これよりさらに東にあるキプロス島と並んで、イスラム世界に対するキリスト教世界の最前線に位置していた。ロードスとその対岸の小アジアの南端をへだてる距離は、海上とはいえ十八キロしかない。

島の北端に突き出た岬《みさき》を迂回した船は、ほどなくまたも舵を右にきる。ロードス島の首都ロードスの港は、島の最北端にあるからだった。

地中海では、夕暮時になるとはっきりと風が落ちる。船乗りたちはそれを知っていて、微《そよ》風の吹きはじめる朝に出港し、風の落ちる夕暮時に入港できるよう船足を計るのだ。ロードスの港も、この時刻には、入港しようとする船でにぎわう。速力を落としたジェノヴァ船は、眼前に迫ってくる要塞《ようさい》を右手に見てそれを通りすぎたところで、帆をすべてたたんだ。商船なので、聖《サン》ニコラの要塞と呼ばれるこの要塞に守られた、長方形の港には入らない。そこはガレー船専用になっていて、軍船といえばガレー船が普通であった当時は、いわば軍港だったからである。商船は、この軍港を通りすぎた奥にある、半円型の商港に入らねばならなかった。

赤地に白の十字の聖ヨハネ騎士団の軍旗がひるがえる聖ニコラの要塞からは、陸地に向けて、軍港を守る長い堤防が築かれている。堤防の上には、一列に行儀よく並んだ風車が、軽快な音をたてながらまわっていた。

風の強いエーゲ海の島々では、小麦を粉にするのに風力を利用することが多い。だが、背後を山に守られたジェノヴァ近くの海沿いに生れ育ったアントニオには、マエストラーレと呼ばれる強い北西風には馴染《なじ》みがうすく、風車の列はひどく新鮮な景色に映るのだった。それでも、観察力の鋭い若者は、堤防の上に可能なかぎり間隔をつめて並んでいる風車の列が、港に入った船を風から守る役目をしている事実にも気づいていた。

ひき舟に導かれて入港した港は、広大な半円型の港で、船をつけるのに必要な場所だけ残して、その背後をぐるりと城壁が囲んでいる。船着場から直接に高く直線にそそり立つ城壁には、合計五つの城門が、それぞれ堅固な円型の塔に守られて口を開けている。城壁がつきれば、またも風車の並ぶ堤防がのびているから、港は、船の出入りに必要な海域をのぞいて、ほぼ完全に風から守られているわけだった。

港には、帆と櫂《かい》兼用のガレー商船から純帆船まで、何十隻という船が錨《いかり》を降ろしている。ひき舟の先導がなければ、どこにつけてよいか迷うほどだ。大型船は横づけに、より小型の船は、船首を外に向けてつながれている。ジェノヴァ船は、その港に入ってすぐの右側の船着場に、横づけにされた。

船着場は、日没を合図に城門が閉ざされるためか、荷のあげおろしに忙しい人々でにぎわっていた。ロードス島の原住民であるギリシア人や、西欧の商人とひとめでわかる長衣の人人の向うを、鎖につながれたトルコの奴隷《どれい》たちの一群が、大きな袋をかついで大儀そうに通りすぎる。その間を、甲冑《かっちゅう》の赤い胴衣に白の十字を染めた騎士たちが、早足で駆けぬけて行った。

それらの光景を、船首に立ちつくしたまま珍らしい想いで眺《なが》めていたアントニオに、近づいてきた船長が言った。

「迎えの方々が、みえています」

言われて下の船着場に眼をやると、そこに、アントニオと同じ服装をした、二人の男が立っているのが眼にとまった。

フランスの騎士

月並みだがあたたかい歓迎の言葉を浴びせてきたのは、二人のうちの一人で、イタリア語を話した。アントニオが属することになる、イタリア騎士館に彼も属す。その騎士は、人なつっこく、アントニオの叔父にあたる、先の騎士団長ファブリツィオ・デル・カレットの晩年に親しくしてもらっていたなどと話し、栄光に輝くカレット家の出身者が、再びロードス島に来られるとは、イタリア騎士館にとってもはなはだ喜ばしいことである、と言った。これは、自分が補充の身であることを知っているアントニオには、微苦笑ものであったのだが。

その間、もう一人の騎士は、アントニオにじっと視線をあてたまま黙っていたが、イタリア騎士のおしゃべりが一段落したと思ったのか、はじめて口を開いた。フランス語だった。

「わたしの名は、ジャン・ド・ラ・ヴァレッテ・パリゾン。騎士団長の秘書官をしている」

自分も名のりながら、アントニオには、自分よりは七つか八つ年上ではないかと思われるこのフランスの騎士が、自らの肉体に流れる貴族の血を、強烈に意識する型の男であるのを感じていた。

ラ・ヴァレッテは、痩《や》せてはいたが、強くそれでいてしなやかな身体《からだ》つきが誰《だれ》にもわかる、背の高い美しい男だった。鋭利な刃物でそぎ落としたかのような頬《ほお》の線は、威厳を印象づけながらもまだ若さを充分に主張していたし、細みの切れ長の眼に宿る光は、強く相手に向けたまま動かない。ものごしは、優雅というよりも高慢な男のそれだった。ただ、彼の場合、高慢さは許容範囲ぎりぎりのところで保たれているので、人に不快感は感じさせない。それどころか、このオーヴェルニュ地方の名家出身の若者のたぐいまれな資質を、初対面の人にも、すぐさま悟らせてしまうたぐいのものだった。イタリアではもはや珍らしくなったとはいえ、かつてはヨーロッパ中の讃嘆《さんたん》を浴びていた、「汚《けが》れなき騎士」の見本を、アントニオは眼前にする想いだった。

ラ・ヴァレッテは、騎士団長が会うと言っておられるので、明朝イタリア騎士館に迎えに行く、と言っただけで、背中を見せて去って行った。

荷物とともに来る従僕は後に残して、アントニオはイタリア騎士の案内で、城門の一つをくぐって市街に入った。街中の道は、小石を一面に敷きつめてそれを固めた舗装がなされている。イタリアの小都市の街を歩くのと、皮の靴《くつ》の底にふれる感じが同じだ。しかし、城門をくぐったとたんに眼前にあらわれた、道の両側にところせましと並ぶ店の猥雑《わいざつ》な活気は、西欧のものではなく、オリエントを感じさせた。そして、そこを通りこしたところにある広場の正面に腰をすえた大きな建物の、ゴシックの影響が明らかなつくりも、やわらかな砂色の石材を用いているためか、純粋な西欧とはどこかちがう印象を与えずにはおかない。この大きな建物の入口の左右に並び立つ塔の上には、聖ヨハネ騎士団の軍旗がひるがえっていた。

立派なこの建物こそ、騎士団の病院なのである。聖ヨハネ騎士団は、テンプル騎士団やチュートン騎士団とはちがって、病人の治療に奉仕することからはじまった組織だった。

ロードス島でも、西欧と同じように、建築物はそれを建てさせた人物の家紋をきざむならいになっている。アントニオが到着第一夜をすごすイタリア騎士館には、カレット家の紋章が入口の扉《とびら》の上にきざまれていた。

騎士館は、イタリアにかぎらず、オーヴェルニュもプロヴァンスもイル・ド・フランスも、そして、アラゴンもカスティーリアもイギリスもドイツも、外観も規模も必要に応じてさまざまだったが、内部はだいたい同じつくりになっていた。

一階は、厩舎《きゅうしゃ》や武器庫や納屋《なや》や従僕たちの寝所に使われている。中庭から階段で直接に行ける二階は、食堂を兼ねた大きな集会室を中心に、いくつかの部屋がめぐるつくりだ。それらは騎士たちの居住の場所で、ロードス島に来た騎士は、最初の一年、騎士館に宿泊することを義務づけられていた。それ以後は、街中に住まうことを許されている。三階は、アラブ風の屋上になっていた。

騎士館のつくりは、西欧の修道院と似ていたが、かもしだす雰囲気《ふんいき》となると、やはりどこかちがっていた。騎士たちの使う食器は、それぞれの家紋が彫られた銀製の見事なものであったし、部屋に並ぶ寝台も、銀糸で縫いとりされた家紋も美しい、黒のビロードでおおわれている。敷布さえ、同じく紋章が刺繡《ししゅう》された、薄地の麻が普通だった。

イタリア騎士館には、その夜、アントニオの他《ほか》にもう一人、客が泊まった。貴族ではない。北イタリアはヴェネツィア共和国領のベルガモの出身で、名をガブリエル・マルティネンゴという。城壁建築が専門の、技師ということだった。アントニオを乗せてきたジェノヴァ船が、クレタの南岸をまわる直前で無人の岬の陰にしばらく停船したが、小舟に乗って逃げてきたこの男を、乗船させるためだったのである。アントニオは、四十を半ばこえた感じのがっしりした体格のこの男が、以後のロードスでの生活に密接にかかわりながら生きていく一人になるとも知らず、はじめての床に就くやたちまち、若者らしい健康な眠りにおちていった。

出会い

夕暮時の到着だったので昨夜は気づかなかったが、翌朝アントニオは、この島があざやかな色彩に満ちあふれているのを知って、嬉《うれ》しい驚きに身体がふるえんばかりだった。

薔薇の花咲く島、という意味からロードス島と呼ばれるようになったとは、アントニオも知っていたが、古代では咲き乱れていたと伝えられる薔薇は、千五百年後の今ではさほど目立たない。だが、それに代わって、ブーゲンビリアの赤紫とハイビスカスの真紅、夾竹桃《きょうちくとう》の白と赤、レモンの実の黄色が、濃い緑色の上に解き放たれた感じだ。おそらく、春先までは、アーモンドのあの雪のような白い花が、全島をおおっていたのであろう。

　大気は、温暖である。また、海岸に出れば強く感じられる風も、城壁に囲まれた市街に入ると、微風に変る。街の中では、どんな小路《こうじ》でも、いつもさわやかな微風が吹きかよう。汗をかいても、そうと気づく前に乾いてしまうのだった。

　空は、指を入れでもしたら染まるような蒼《あお》さで、それに向って、糸杉《いとすぎ》の濃い緑が、くっきりと存在を主張している。島に多く産する石材が砂色であるためか、街中のほとんどの建物がやわらかい砂色をしていて、石の面があらわになっているのに、粗野な感じを与えない。南の国なのであった。

　古代ローマ時代、この島にはアテネと並び称された哲学の最高学府があり、キケロもカエサルもブルータスも、そして二代目の皇帝になったティベリウスも、若い頃にここに学びに訪れたというのも、学問をおさめるのだけが目的ではなかったにちがいない。ローマ人は、快適な環境を愛することにかけては、古代のどの民族よりも敏感だった。

　迎えに来たラ・ヴァレッテとともに、アントニオ・デル・カレットはイタリア騎士館を出た。今朝は、旅の間中着用していた西欧風の黒い短いマントの代わりに、同じ黒でも、また背に大きく白十字の縫いとりがあるのは同じでも、足許《あしもと》までとどく長くゆったりしたマントをはおっている。南の国なのに、ここではマントは、長いのを着用する決まりになっていた。だが、さわやかな微風のおかげで、マントはいつもいくぶんか風をはらんでいて、暑苦しいことは少しもなく、また暑苦しい感じも与えないのだった。

病院の建物の西側を、小石を敷きつめたゆるやかな登り坂が、騎士団長の居城に向って通っている。この道は、いつの頃からか、「騎士通り」と呼ばれていた。イタリアとドイツ、そして、普通はフランスとだけ呼ばれるイル・ド・フランス、それにアラゴンとカスティーリアが同居しているスペイン、最後にプロヴァンスと、各国の騎士館が道の両側に並び建っているからである。他に、病院の正面と対しているイギリス騎士館と、造船所に近いオーヴェルニュ騎士館があるが、二つともひどく離れたところにあるわけではなく、ために、市街では最も高所に建つ騎士団長の居城を中心としたこの一帯に、騎士団の主要建物が集中しているといえた。

「騎士通り」を登りきると、左側に、聖ヨハネ騎士団では最も重要な教会、聖ヨハネに捧《ささ》げられた教会がある。この教会と向いあう形で、騎士団長の居城の正門があった。最上部には胸間城壁までそなえた、防備も完璧《かんぺき》な正門で、堂々たる威容を示す二つの円塔に守られている。この門をくぐりぬけると、一隊が丸ごと収容できそうな玄関になっており、その向うに、明るい陽光のふりそそぐ広い中庭が眺められた。フランスの騎士は、玄関を左にあがる階段に向わず、中庭へ通る。アントニオも、後に従った。

中庭は、平らな敷石で一面に舗装されて広く、すみに、二つの井戸があった。中庭をめぐる建物に切られた窓は、小さく西欧風に堅いのだが、石材の砂色と、回廊を直射日光から守る南欧式につづくアーチの線が、堅さをやわらげている。中庭の一方には、直接に二階に向って、手すりのない石の広い階段が通じていた。

この階段を、二、三段、ラ・ヴァレッテとアントニオがあがりかけた時だった。階段の上に、細い円柱にささえられたアーチを額縁にするようにして、男が一人立っているのに、二人とも同時に気がついた。アントニオは、思わず歩みをとめた。階段の上の男が、ゆっくりとこちらに向って降りはじめてきたからである。

銀色に輝く鋼鉄製の甲冑が、すらりとのびた全身をくまなくおおっていた。胸甲の中心に、赤地に白十字のしるしが見える。右手は、白い羽根飾りのついたかぶとをかかえ、左手は、腰にさした長い剣におかれていた。軍務におもむくのであろう。第一級の軍装である。

亜麻色に波うつ髪は、かぶとをつけるのに都合のよいように首すじで切られていたが、浅く日焼けした肌《はだ》は、ほのかに下の血の色を浮びあがらせている。眼《め》の色は、薄い青味をおびた灰色で、その眼は、どこか皮肉をこめた笑いをたたえてこちらに向けられていた。

アントニオは、これほど美しい造型物を、今まで見たことはなかった。青年は、二人から四、五段のところまで降りてきて足をとめた。それまできこえていた、甲冑のふれあう音もとまった。若いその騎士は、ラ・ヴァレッテのほうに、フランス語で声をかけた。

「新入りかな？」

アントニオは、その言いぶりの率直さに思わず笑いそうになったが、彼のかたわらにいたフランスの騎士は、機嫌《きげん》がよいとはとても言えない口調で答えた。

「ファブリツィオ・デル・カレット様の甥御《おいご》で、アントニオ殿だ」

青味をおびた灰色の眼の若者は、それにいかにも愉快そうな笑いで応じておいて、言った。

「きみも、補充組か。わたしは、ジャンバッティスタ・オルシーニ。いつも騎士館ぐらしでは息もつまるだろうから、ときにはわたしの家にも遊びに来たまえ」

そして、鋼鉄のふれあう音を後に残して、再び階段を降りて行った。ふりかえって見送るアントニオの眼に、白十字を縫いとりした真紅の長マントの、風をはらんで背後になびく姿が、去って行った後も焼きついて離れなかった。

階段を登りきったところで、ラ・ヴァレッテは、ここで言っておいたほうがよいとでも決心したかのように立ちどまり、例の強い視線をアントニオに向けながら言った。

騎士オルシーニは、とかく問題の多い同志であること。聖ヨハネ騎士団の決まりである清貧、服従、貞潔の三原則に反した行いを、隠れてならまだしも、平然としてはばからないこと。ただ、罰を与えようにも、法王庁と強いつながりをもつローマの大貴族オルシーニ家の出身であり、五代前の騎士団長の血をひく者であることから、現騎士団長も容易に手がくだせないでいること。だが、ラ・ヴァレッテは、こうつけ加えるのも忘れなかった。

「しかし、敵と対した時のオルシーニの勇猛果敢さとなると、まったく見事なのだ。まるで、死は自分とは無関係だとでもいうふうに、敵中に突っこんで行く。トルコ人の間でも、アラーの神はこの異教徒だけは許されると、信じられているくらいなのだ」

騎士団長フィリップ・ド・リラダンとの対面は、特筆することもなく平凡に終った。六十歳は少しすぎたかと思われる、このブルターニュ地方の名家出身の騎士団長は、身体つきからも人に与える印象からも、ラ・ヴァレッテにあと三十年の歳月を加えたらこのようになるであろうと思われる人物だった。ただ、二十八歳のオーヴェルニュ出身の騎士のほうが、狂信的といってもよいほどの強固な意志力では、上のように見えた。

アントニオが、辞して部屋を去ろうとした時、騎士団長はふと、一瞬遠くを見るような眼つきになって言った。

「叔父上とわたしとは、四十年前、トルコの猛攻に抗して、ともに戦った仲であった」

一四八〇年、トルコのスルタン・マホメッド二世が送った大軍を前に、ついに守りぬいた戦いを指しているのである。あの時のロードス島攻防戦の勝利は、コンスタンティノープルの陥落を皮きりに、連戦連勝の感があったトルコ軍に対してのものだけに、西欧キリスト教世界の喜びようは大変で、聖ヨハネ騎士団の声価は、一度にはねあがったのであった。あの戦いでは、ファブリツィオ・デル・カレットもフィリップ・ド・リラダンも、今のアントニオよりも若かったのである。

騎士団長との対面を終え、秘書官ラ・ヴァレッテとも別れたアントニオは、別の騎士に導かれて、次々とつづく広間を通りすぎ、玄関の左手に降りる階段をくだって外に出た。だが、アントニオの胸中には、今さっき会った騎士団長の印象よりも、通りすぎた広間の壁面に彫りこまれていた、次の文字が強く残っていたのである。

FERT FERT FERT

三度くり返されているこのラテン語の文字は、耐え忍ぶ、ということを意味している。清貧、服従、貞潔の決まりを、オルシーニのように平然とではなくても、ロードス島の騎士たちは、服従以外はさほど耐え忍んでいないような印象を受けた。ならば、なにを耐え忍ぶのであろうか。どのように、耐え忍ぶのであろうか。

「騎士通り」に出たアントニオは、道を埋める小石の一つ一つを靴裏に感じながら、歩くでもなく、しばらく立ちつくしていた。

第二章　聖ヨハネ騎士団の歴史

十字軍時代

いまだイェルサレムが、イスラム教徒の支配下にあった九世紀の中頃《なかごろ》、イタリアの海洋都市国家アマルフィ、ピサ、ジェノヴァ、ヴェネツィアの中で、最も早く地中海世界で活躍しはじめていたアマルフィの富裕な商人マウロが、イェルサレムを訪れる西欧からの聖地巡礼者のために、病院も兼ねた宿泊所を建てた。その後聖ヨハネ騎士団の紋章になり、現代でも使われている八つの尖角《せんかく》をもつ変型十字は、もとはといえばアマルフィの紋章であったのである。

ただし、この、まだ騎士団でもない組織の主権は、いつのまにかアマルフィを主としたイタリア人の手から離れ、プロヴァンス地方出身者を主体にしたフランス人の手に帰したようである。ジェラールという名しか知られていないプロヴァンス人が、十字軍前後のイェルサレムで、アマルフィの商人がはじめた病院兼宿泊所を、異教徒の支配下にありながら、巧妙に経営していたのだった。

ジェラールの努力は、まもなく起った第一次十字軍による一〇九九年のイェルサレム征服によって報いられる。同じキリスト教徒が支配するようになったイェルサレムで、新約聖書の著者の一人聖ヨハネを守護聖人にいただくこの組織は、古文書によれば、「聖墓教会から石を投げればとどく距離」のところに、つまりイェルサレムの街の中心に、進出を果したのである。四年後、法王パスクワーレ二世は、この組織を公式に、宗教と軍事と病人治療に奉仕する宗教団体として認可した。これより、「聖ヨハネ病院騎士団」と称されるようになる。そして、一一三〇年、法王インノチェンツォ二世は、聖ヨハネ騎士団に軍旗をも与えた。赤地に白の十字架を縫いとりしたもので、騎士団では、それまでの黒地に白の変型十字の紋章を、非軍事用にし、法王のくだされたものを、軍事用に決めたのである。

軍旗が存在価値をもつようになったということは、病人の治療からはじまった聖ヨハネ騎士団の性格も、より軍事のほうに傾きつつあるということだった。一一一九年には、こちらは純軍事の宗教団体であった、テンプル騎士団が創設されている。そして、一一九〇年にはチュートン騎士団創設と、主要な宗教騎士団創設がこの時期に集中している。これは、力で奪った聖地は、力で守る必要に迫られての、パレスティーナの地のキリスト教徒にしてみればやむをえない方向転換を示していた。

しかし、これらの騎士団は、騎士道精神と修道院精神の融合をめざして創設されただけに、世俗の武人の集まりではありえない。騎士たちは、俗界での身分を捨て、修道僧と同じ規則を守る義務を課される。清貧、服従、貞潔がそれだった。妻帯は禁じられていた。彼らは、いわば僧兵であったのである。

烏合《うごう》の衆の群れであったにかかわらず、聖地奪回の目的は達した第一次十字軍の後、第二次第三次と、十字軍遠征も西欧の皇帝や王の率いるものに内容が変ったのに呼応して、聖ヨハネ騎士団も、他の騎士団でははじめからはっきりしていた軍事的性格がますます強まってくる。騎士団の内容が、変ったのだ。

ヨーロッパ中世では、武をもっぱらとし、それによって他の人々を守る人間は、他とはちがう「青い血」の流れる人でなければならないとされていたのである。それまでは、「青い血」と「赤い血」の区別なく同じ黒の制服でとおしていた聖ヨハネ騎士団が、武器を手にキリスト教徒を異教徒から守る階級と、医術をもって守る人の区別を、明確にしたのもこの時代だった。医療に従う人々は、同じく騎士団に属してはいても、騎士の身分は与えられなくなった。そして、創設当時から理事長とだけで呼ばれてきた騎士団の最高責任者は、団長《グラン・マエストロ》と呼ばれるようになる。ますます軍隊組織化した、証拠であった。

しかし、「貧しき人々の下僕《しもべ》」から「キリストの戦士」に変身した聖ヨハネ騎士団も、一〇九九年から一二九一年までの二世紀間は、それなりに完全な存在理由を保持していたのである。

主導権争いのために騎士団同士は仲が悪かったので、共同戦線を張ったことはほとんどと言ってよいほどなかったが、騎士団の軍事力は、パレスティーナ地方のキリスト教勢力の中では、欠くことのできない存在になっていた。重要な戦闘にはことごとく参戦しているし、ときには、騎士たちの健闘が、戦いの様相を変えたこともまれではない。十字軍史を書いて、騎士団の働きを述べないではすまないのである。

聖ヨハネ騎士団にかぎっても、あの当時、常時投入できた軍事力は、五百人前後の騎士とそれと同程度の数の傭兵《ようへい》にすぎなかった。だが、当初から弱体な組織力をあらわにしていたパレスティーナの十字軍勢力を隣りにしては、その軍隊組織の堅固さと、世俗の欲望を神への奉仕に切り換える立場から生れる攻撃精神の強さは、やはり群をぬいていたのである。

一一八七年、イェルサレムが再びイスラム教徒の手に帰してから後の、パレスティーナの十字軍勢力存亡を期す数々の戦闘では、キリスト教徒を地中海に追い落とすことこそアラーの神の意志であり、ゆえにそれを実現する戦いはすべて聖戦と信じて向ってくるイスラム教徒の狂信に対し、同じたぐいの精神で立ちはだかったのは、宗教騎士団の騎士たちであったのだ。当時、獅子《しし》の心をもって戦ったのは、リチャード獅子心王ではない。聖ヨハネ、テンプル、チュートンを主体にした、騎士団であったのである。

しかも、これらの騎士団が、富裕で堅実な財政基盤をもっていた点でも、パレスティーナの十字軍諸侯はもちろんのこと、西欧の王侯でさえうらやむほどに恵まれていた。なにしろ、宗教とつけばなぜかカネの集まりやすいことは、古今東西を通じて実証されてきた事実である。

まず、宗教団体なのだから、寄附する側も理由があるし、寄附者の親族も納得せざるをえない。とくに中世の宗教騎士団の場合、一身を犠牲にして遠いパレスティーナの地でキリストの敵と闘っているという、理由としてならば当時これ以上は望めないほどの、大義名分をもっている。

第二に、妻帯を団員に許していないのだから、集まった財も分散の危険がない。

第三は、寄附という型の増資は、宗教団体の場合とくに、それが存在するかぎり施行されるという利点をもつ。そして、なぜかこの種の団体の財産運営は巧みで、増える一方なのが常だった。高利の金貸し業にまで手を広げていたテンプル騎士団ほど露骨ではなかったが、不動産動産を問わず聖ヨハネ騎士団の財力も、短期間の成果にもかかわらず、全ヨーロッパに広く深く浸透していたのである。

騎士団に属す騎士たちの甲冑《かっちゅう》の華麗さは、西欧の王侯と同席してもひけをとらなかったし、騎士団の築いた城塞《じょうさい》の威容は、イェルサレム王国の王さえうらやむほどだった。聖ヨハネ騎士団やチュートン騎士団の病院では、患者には誰《だれ》でも白パンと上等の葡萄酒《ぶどうしゅ》が供され、敷布も寝衣も無料で給付された。

このような恵まれた環境が、精神上の攻撃心と強さとあいまって、これら宗教騎士団の騎士たちを、アラブ人に言わせれば、

「イスラムの咽《のど》にひっかかって離れない骨」

にしていたのである。「キリストの戦士」の存在理由は、現地のパレスティーナはもちろんのこと西欧でも、そして敵すらも認める事実であった。全員玉砕も辞さない騎士たちの奮戦ぶりは、自己満足に訴えずとも充分に自己の存在理由を確信できた者のみのもつ、強さでもあったのである。一二九一年までは、宗教騎士団の黄金時代であった。イスラムの待ち望んだ、「パレスティーナからのキリスト教徒の一掃」は、騎士たちの健闘がなかったとしたら、一二九一年よりはよほど以前に実現していたにちがいない。

難民時代

一二九一年四月、スルタン・カリルに率いられたイスラムの大軍は、二重の城壁に守られるアッコンを囲んだ。第一次十字軍によるイェルサレム征服から二百年、パレスティーナの地に打ちたてたはずのキリスト教勢力も、彼らが「聖ヨハネのアクリ」と呼んでいたこの街を残すのみになっていたのである。

一方、イスラム軍は、この街さえ陥《お》とせばキリスト教徒を海につき落とせると思っている

から、攻撃は激烈をきわめる。対するキリスト教軍は、テンプル騎士団は北側の守りを担当し、聖ヨハネ騎士団とチュートン騎士団は、南側の城壁の防衛を受けもつ。東の城壁は、フランスとイギリス人の騎士たちがささえ、西の城壁は、十字軍で経済大国への道を開いたヴェネツィアやピサの商人が守るという陣容であった。

攻撃も激しかったが、もはや死守しか道のない防衛軍の抵抗もすさまじく、一カ月を越えた攻防戦の熾烈《しれつ》さは、壮大な十字軍運動の最後の幕をひくにふさわしいものだった。アラブの年代記作者によれば、

「イスラム軍は住民の多くを殺し、莫大《ばくだい》な戦利品を獲得し、殺さなかった者は、全員捕虜にした。そして、最後の一人を城外で斬首《ざんしゅ》した後で、市街は完全に破壊された」

奴隷《どれい》に売られたキリスト教徒の数はあまりにも多く、少女一人が銀貨一枚にも値しないほどであったという。アラブ側の記録者は、この戦いを、次のように書いて結んだ。

「こうして、全パレスティーナはイスラムの手に再びもどり、シリアからエジプトにいたる海岸地方からも、全フランク人を追放して清めた。アラーの神に、誉《ほま》れあれ！」

帰れる故国のあるイタリアの海洋都市国家の人々は、まだよかった。だが、二百年という歳月は長い。パレスティーナで生れ育った人々には、帰れる故国さえもない。ほぼ全滅の状態であった騎士団を最後に、おりからの荒天の中を、手に入るかぎりの舟にしがみつき、高

波をくぐっての敗走は悲惨であったろう。三百キロ離れたキプロス島まで逃げられたのは、残ったわずかな生存者のうちの、そのまたわずかな人々だけであった。重傷を負ったテンプル騎士団の長も、これまた重傷にあえぐ身の聖ヨハネ騎士団の長ジャン・ド・ヴィレも、幸運に恵まれたこのわずかな人々の中にいたのである。百年前、深くも考えずにリチャード獅子心王が征服していたキプロスだけが、地中海につき落とされてしまったキリスト教徒にとって、ひとまず身体《からだ》を預けられる土地だったのである。

当時のキプロス島は、長期的な見通しというようなものからは生涯《しょうがい》無縁であったイギリス王リチャード一世が、まるで気まぐれに征服したという感じで、それまでのビザンチン帝国から、西欧キリスト教勢に支配が移っていたのだが、リチャードから譲られたテンプル騎士団の統治がうまく行かない。まだパレスティーナに強力な根城を有していたテンプル騎士団は、苦労してまで統治に専念する気がなかったのか、フランスからパレスティーナに流れてきていた小貴族の一人ルジニャンに、十万ドュカートで売りわたしたのだった。それ以来、この一族の支配がつづいていたのである。

かつての軽挙を悔やんだにちがいないテンプル騎士団もふくめて、アッコンからの難民勢は、このキプロス王の、いわば間借り人として、滞在を認められたのだった。難民は、同情はされても歓迎はされない。キプロス王は、騎士団に、土地の所有を許さなかった。のっとられることを、怖《おそ》れたからである。この状態のもとで、騎士団は、創設以来最大の危機に直面させられることになったのであった。

試練のとき

中世に生れた宗教騎士団は、聖ヨハネ、テンプル、チュートンの三大騎士団だけでなく群小の他の騎士団でも、次のことを目的とする点ではほぼ一致していた。

第一に、キリストが復活するまでの墓であった聖墓を、つまり聖墓のあるイェルサレムを中心とする聖地一帯を、キリスト教徒のために保持し、異教徒の攻撃から防衛する義務。

第二に、聖地に住むキリスト教徒と、聖地を訪れる巡礼者の安全を、保証する義務。

第三は、聖地防衛のための戦闘で、負傷したり病んだりしたキリスト教徒の治療。

第四は、これらの戦闘で敵側の捕虜になり、奴隷に売られたキリスト教徒の探索と、この人々の自由回復のための努力。

キプロス島に間借りする騎士団は、なんとこれらすべての目標を失ってしまったのである。わずかに第四の努力目標が残されていたが、難民の環境にある騎士団は資金もとぼしく、値をつりあげることしか考えないイスラム教徒が相手では、捕囚の人々の救援活動も思うようには進まない。キプロスを足場に再度の聖地回復をめざす十字軍結成を提唱する使節を、西欧諸国に次々と送るのだが、ほぼ半世紀もの間、聖地の防衛は騎士団に一任した感じで、自分たちは西欧での勢力拡大に熱中するのに慣れてしまった王侯たちは、不明確な返答をくりかえすだけである。西欧の関心は、パレスティーナを離れてしまっていたのである。キプロスの「難民たち」は、孤立を自覚するしかなかった。

他人も認める存在理由を失った組織の、自壊の速度をとめるのはほとんど不可能にちかい。以前の存在理由を再びとりもどすか、それとも、新しい環境に順応し、それによって新しい別の存在理由を獲得できるかだけが、この不可能を可能にすることができる。

まず、小さな騎士団が、自然消滅の感じで、西欧にもどって消え去った。チュートン騎士団も、西欧に帰り、以後はプロシアの植民地化に専念するようになる。最も悲惨な運命が待っていたのは、テンプル騎士団であった。

この騎士団のフランスでの強大な財力と広大な領有地が、王権強化に熱心だったフランス王の関心を招《よ》んでしまったのである。これらをすべて手中にしようと決心したフランス王は、テンプル騎士団の壊滅に着手した。理由は、異端の罪、秘密結社結成の罪などである。現代歴史学でも、はたして王の弾劾《だんがい》が事実にもとづいていたものかどうか結論が出ていないのだが、高利の金貸し業までしていたテンプル騎士団が、そのことでイスラム教徒と接触があったのは事実で、このあたりの事情が罪のでっちあげに利用されたのであろう。騎士たちは次次と拷問《ごうもん》にかけられ、火あぶりの刑に処せられ、一三一四年、騎士団長の処刑で、テンプル騎士団は完全に壊滅した。

テンプル騎士団にはおよばないとは言われていたが、それでも相当な財力を貯《たくわ》えていた聖ヨハネ騎士団が、なぜにテンプル騎士団がたどったと同じ運命から逃れることができたかを示す、確実な史料は存在しない。テンプル騎士団壊滅に協力した、アヴィニョン「捕囚」中の法王クレメンテ五世の、当時では有名であった無方針が幸いしたのではないかといわれている。だが、テンプル騎士団と比べて環境順応性により長じていた聖ヨハネ騎士団の方向転換が、この騎士団の存続に効あったのも事実だった。

キプロス島で難民生活を強《し》いられた聖ヨハネ騎士団の騎士たちは、まもなく、パレスティーナで駆っていた馬を、キプロスでは船に代えたのである。騎士たちは、イスラム教徒相手とはいえ、海賊に職業がえをしたのだった。それでいて、騎士団創設当時からの事業である病院を、あらためて前面に押し出す。テンプル騎士団壊滅に少しは良心の呵責《かしやく》を感じていた西欧の王侯たちは、これで完全に手が出せなくなってしまった。

しかし、病人の治療に力をつくそうと海賊業で成功しようと、キプロスに留《とど》まるかぎり、王の方針に左右される間借り人であることには変りはない。パレスティーナ時代には、地上に存在する最も堅固で堂々たる城塞と賞讃《しようさん》され、現代でも十字軍の残した最上の城ということになっている、クラク・ド・シュヴァリエをはじめとして、パレスティーナ各地に、治外法権の領土を所有していた聖ヨハネ騎士団である。本拠をかまえることの重要さを、誰よりもよく知っている。自分たちの根城が、なんとしても欲しかった。

それを可能にする好機は、キプロスに逃れてきてから十五年目に、まったく偶然という感じで訪れた。ジェノヴァ人の海賊で、ヴィニョーリという名の男がキプロスにやって来て、聖ヨハネ騎士団に、ある事業を共同でやらないかともちかけてきたのである。

ロードス島へ

その男は、当時衰退期に入っていたビザンチン帝国の皇帝から、なにかの理由で、コスとレロスの島を借りうけることに成功したのだが、それにロードス島を加えて、その近海一帯の島々まで征服しようと考えたのである。ただ、それには戦力が不充分なので、自分とは同業で成功しつつあった聖ヨハネ騎士団と、船と兵力両面での共闘をしようというわけだった。条件は、征服に成功した土地からあがる収入の三分の一を、毎年支払ってくれるのでよいという。ときの騎士団長フルク・ド・ヴィラレは、この話にとびついた。

一三〇六年の秋に行われた最初の襲撃は、ロードス島の正当な領有者であるビザンチンの駐屯《ちゅうとん》軍の頑強《がんきょう》な抵抗に出会って失敗したが、根城をもちたい一心の騎士たちの戦意は、これぐらいではくじけない。いくどか遠征がくりかえされたあげく、ロードス島の征服が完了したのは、一三〇八年になってからだった。ビザンチン帝国は抗議したが、軍事力で再び奪いとるだけの力のない国の抗議は、単なる言葉でしかない。一方、西欧は、十字軍運動にとっての新たな基地出現と大歓迎だった。法王も、教書を発して、騎士団の島領有を認めた。

本拠地を再びもてるようになった聖ヨハネ騎士団が、約束どおりジェノヴァ人の海賊に、収益の三分の一を支払いつづけたかどうかはわからない。従来の「キリストの戦士」たちの行動から推測すると、ジェノヴァの海賊は、騎士たちから見事に欺《だま》されたのではないかと思われる。

ただし、このロードス獲得戦に要した資金の大半はヴェネツィアの銀行からの融資によったのだが、こちらのほうは、二十年かかったにしても、全額の支払いを完済している。それはなにも、当時の地中海での二大ライヴァル、ジェノヴァとヴェネツィアのうちで、ヴェネツィアのほうに、聖ヨハネ騎士団が親近感をいだいていたからではない。個人は個人で、それが良《あし》くも悪くも放任する傾向の強かったジェノヴァ共和国とちがって、ヴェネツィアは、自国の市民の不利益は、共和国の不利益と考えた。東地中海域では優勢であったヴェネツィア海軍を敵にまわす愚は、ようやく本拠地をもてた聖ヨハネ騎士団にとっては、してはならない行為であったのだった。

聖ヨハネ騎士団が、キプロスでの借家住まいから「我が家」となったロードスへの完全な移転が終ったのは、一三一〇年になってからである。この年から、騎士団にとって、第二の時代がはじまる。騎士団は以後、「ロードス騎士団」とも呼ばれるようになる。ビザンチン皇帝も、既成事実は認めるしかない。フランスでは、テンプル騎士団の騎士たちの肉体を焼く火が、いきおいよく燃えさかっていたと同じ時期の出来事であった。

第三章「キリストの蛇《へび》たちの巣」

古《いにしえ》のロードス

エーゲ海の東南、小アジアにいまにもくっついてしまいそうな近さに位置するロードス島は、南西から北東に向けて、まるでラグビーのボールを置いたような感じで浮ぶ島である。全島の面積は、千五百平方キロにおよばず、島の最も長いところを計っても八十キロ、幅は、これまた最も長いところで三十八キロしかない。島には背骨のように山脈が走っているが、高い山でも千二百メートルが一つあるだけだ。耕地には、あまり恵まれていない。

古代から、理想的な気候の地として有名だった。街中では、最も寒い二月でも、気温は十度を切ることはなく、最も暑い八月になっても、陰であれば二十五度を越すことはまれだ。陽《ひ》の下で三十度になれば、立派に夏なのだった。雨季は、十一月から四月にかけてとされていても、じめじめした雨が降りつづくことはない。強雨型で、さっと降ってはすぐにやむ。風も、地中海では始終方向の変る風が特色なのに、ロードス島の近海だけは珍らしく、季節風的な一定した風が吹く。春から夏は、マエストラーレと呼ばれる北西風が吹き、秋と冬は、シロッコと呼ばれる南東からの風か、リベッチョと呼ばれる南西からの風が吹く。暑い季節に吹く風が涼しい風で、寒くなれば暖かい風が吹いてくれるのだから、ロードス島の気候が、ドルチェ（甘い）と定評があるのも当然だった。水も、山脈に発する数々の渓流《けいりゅう》のおかげで豊富だ。緑にあふれるこのロードス島に欠けているものといえば、小麦だけといってもよい。だが、これも、多量を求めればのことだったのである。

良港は、島の北から東にかけて集中していた。その中でもとくに、島の最北端にあるロードスと、島の東側の中頃《なかごろ》に位置するリンドスが、古代から主要港とされてきた。首都は、いつの時代でもロードスである。

地中海の楽園のようなこの島に、人間が目をつけないはずはない。歴史時代に入ってからだけでも、紀元前一五〇〇年前後にクレタからの移住者が島の北部に住みついたのにはじまり、エーゲ海の島々が経たとほとんど同じ、ギリシア民族の変遷《へんせん》を経験する。

紀元前八〇〇年頃からは、当時の商航路には絶好の場所に位置していただけに、近くの小アジア西岸のイオニア都市であるエフェソス、ミレトス、ハリカルナッソスと並んで、通商の重要な基地として繁栄する。ロードスからの移住者の建設した、地中海沿岸の植民都市も多かった。

だが、やはり海上に浮ぶ島であるだけに、大陸とは陸つづきのイオニア諸都市が前五世紀にペルシアに攻められた際も、ペルシアの支配下にくだらないですんだのである。船隊をもつロードスは、アテネが提唱した反ペルシア同盟にも参加している。スパルタ派とアテネ派に全ギリシアが分裂した時代でも、この二大リーダーの間をやむなく行き来しながらも、まずは満足してよい独立を保つことができた。ただ、アレキサンダー大王の時代には、あまりに相手の力が圧倒的であったためか、率先してマケドニアについた。

しかし、ロードスの最も輝かしい時代は、アレキサンダー大王の死後からはじまったと言ってよいだろう。エジプトとの間の密接な通商関係が、この東地中海の小さな島に、エジプトのアレキサンドリアやシチリアのシラクサと並ぶほどの繁栄をもたらしたのである。古代世界の七不思議の一つとされる、ロードスの港の入口をまたいだ形の、巨像がつくられたのもこの時代だった。

この銅製の巨像は、西暦前二二七年のすさまじい地震で崩壊してしまうが、古代世界の七不思議とは、エジプトのピラミッドをはじめとして、人間技《わざ》では不可能と驚嘆された巨大な建造物であったから、ロードス島も、当時の最高の技術水準をもっていたにちがいない。

当時のロードス人は、技術にかぎらず芸術の面でも優れていた。今ではルーヴル美術館にある「サモトラケのニケ」は、紀元前二世紀のロードス人の作といわれているし、ヴァティカン博物館の「ラオコーンの群像」も、ロードス人の作のローマ時代の模作とされている。今日でもロードス島の美術館には、古代ギリシアの香りを伝える芸術品がいくつか残っており、二千年の間に各地に散った作品がいかに多かったかを納得させてくれるのだ。

だが、ロードス島の名声も、ユリウス・カエサルをはじめとする古代ローマの貴族の子弟が学問をきわめるために訪れた紀元前後を境に薄れはじめる。ローマ帝国の属領となったロードス島は、西暦三九五年にローマ帝国が西と東に分割された際、東のビザンチン帝国に加えられた。その後、まったく歴史の表舞台に登場しない時代が長くつづく。そして、十世紀に入って、イタリアの海洋都市国家の商船の往来が激しくなると、ロードス島も、ある時はビザンチン直轄《ちょっかつ》領であったり、ときにはヴェネツィアと結んだり、また別のときにはジェノヴァに港を貸すという状態を脱《ぬ》けられなかった。ビザンチン帝国の勢力の浮沈に、小さなこの島も準じないではすまなかったのである。

そして、一三一〇年、聖ヨハネ騎士団に征服される。かつては高度の文明の持主であったロードス人も、すでにその頃には、高度の文明の持主とはとても言えなかったフランス人を主体にした聖ヨハネ騎士団に対してさえ、野蛮人と呼ぶ資格はもはやもっていなかったのである。

騎士団を迎えて

ロードス全島に散らばる住民をかき集めても五万は越えなかったにしろ、百分の一の数の宗教も風俗もちがう騎士団に占領されて、ロードス原住のギリシア人が一度も反旗をひるがえさなかったのを、不思議に思う人がいるかもしれない。だが、それを、当時のロードス島が昔日の栄光をまったく失った状態にあったという一事では説明しきれない。

十五世紀の後半から台頭してくる大国主義以前、つまり、量の活用に成功する社会体制が確立する以前は、たとえ量としてはひとにぎりでも、質さえ確保しそれを活用すれば、その後の時代では思いもつかない長期の支配が可能であったのである。

まったくひとにぎりの人間で、本国から援軍を急派するにも大変に時間と費用のかかる遠隔の地に、通商軍事の基地を築き、それらを意外と長い歳月保ちつづけたのは、ヴェネツィアやジェノヴァの海洋民族ばかりではない。キプロス王国もそうであったし、パレスティーナを追い出される以前の、十字軍勢力だって同じ範疇《はんちゅう》に入る。この時代、ロードス島に本拠地を得た聖ヨハネ騎士団も、「質」の活用だけを考えればよかったのであった。

また、ロードスの原住民であるギリシア人も、搾取《さくしゅ》しか頭にない支配者を迎えたわけではない。もともと騎士団の財源は豊かなのである。島を征服した直後はいざ知らず、西欧にある財産の運用からあがる収益が着実にとどきはじめれば、西欧当時のロードス人の収入などにあてにする必要はまったくなかった。しかも、西欧での騎士団の財産は、増える一方である。チュートン騎士団はバルト海沿岸に去ってしまい、テンプル騎士団が壊滅した今となっては、騎士道精神と修道院精神を融合して異教徒に対抗する組織は、聖ヨハネ騎士団だけになっていた。信心深い人々の寄進や遺産譲渡が、聖ヨハネ騎士団に集中するようになったのも当然である。なにしろ、聖ヨハネ騎士団だけがいまだにオリエントにとどまり、対イスラムのゲリラ作戦をつづけていたからだ。実質は海賊となんら変りはなくても、そのようなことは、当時の西欧の大勢からすれば問題ではなかった。

要するに、ロードス人は、支配者に耐えなければならないとしたら、まことに都合のよい支配者に出会ったことになる。まずもって、同じキリスト教徒で裕福ときている。そのうえ、この支配者たちは、彼らがつづけていかねばならない事業に、被支配者たちを絶対に必要としていたのでもあった。

ロードス島の近海には、いくつもの島が点在する。ロードスを手中にした聖ヨハネ騎士団は、これらのほんの小さな近隣の島からはじまって、コス、レロスの比較的大きな島々まで勢力圏に入れることに成功する。また、小アジアの西南端にあるとはいえ島ではないハリカルナッソス、当時ではもはやこの古代名では呼ばれずボドルムと呼ばれていたが、その港町まで領有に成功していた。一時は、チムールに再び奪われることになるとしても、小アジアでは重要な都市スミルナまで占領していた時期がある。これは、ロードス島を本拠にして、その近海を航行するイスラムの船を襲おうと思えば、ぜひとも必要な配慮だった。

島々に築いた要塞《ようさい》は見張りの役目を果したし、当時はいまだ緑豊かであったこれらの島は、船の建造に必要な木材を提供したからである。実際、半世紀足らずの間に完成したこの聖ヨハネ騎士団の勢力圏は、まことに彼らにとっては都合よく、ということは敵であるイスラム教徒にとってはまことに都合悪く、勢力伸張の一途であったイスラムの新興国トルコと、イスラムの既成勢力ではやはり強大であったエジプトとを結ぶ線上に位置したのである。そして、その後の百五十年間、皮肉にも、東地中海世界でのトルコの支配が広まるにつれて、ロードスにある聖ヨハネ騎士団の存在も大きくなっていったのであった。

この傾向を決定的にしたのが、一四五三年のビザンチン帝国の滅亡と、一五一七年のシリア、エジプト征服である。この二つのトルコ軍による画期的な戦勝は、東地中海をトルコ帝国の内海にしたのだったが、それだけになおさら、その内海の中に異種の存在のわずらわしさは増す。かつてパレスティーナ時代、

「イスラムの咽《のど》にひっかかった骨」

であった騎士たちは、ロードスに移ってからも、

「キリストの蛇たち」

でありつづけたのだ。ロードス島は、イスラム教徒にとっては、蛇のねぐらであった。

この「蛇たち」を、つまり海賊化した騎士たちを、古代からの伝統であった航海術によって助けたのが、ロードス原住のギリシア人である。戦闘となれば他者の追随を許さないことでは自信のある騎士たちも、領土に基盤をおいた貴族出身だけに、船を操る技能となると伝統がないから自信もない。また、貴族ともなれば、そのような商人じみたことにかかずらわってはならないのだった。「青い血」をひく者は、男にとって最も高貴な仕事、戦いに専念すべきとされていたからである。

聖ヨハネ騎士団が支配するようになったロードスとその近海の島々では、こうして、支配階級と被支配階級の利害が、奇妙にも一致することになったのである。そのうえ、西欧キリスト勢が支配者になって以来、西欧の商船のロードス寄港も、以前よりは格段に増え、しかもそれが普通の状態になる。ジェノヴァ船が多かったが、プロヴァンスやカタルーニアの商人たちの中にも、この島に住みつく者も増えてきた。ユダヤ人の居留区も、商業活動に活気を与える役にたつ。ロードス島は、古代世界崩壊後の長い低迷から、少しにしても立ちあがりつつあるようだった。

巣づくり再開

パレスティーナ最強の城といわれた、クラク・ド・シュヴァリエの所有者であった聖ヨハネ騎士団である。ロードス島の首都ロードスに築きはじめた城塞都市も、この島が繁栄を誇っていた古代にさえも有したことがないほどの堅牢《けんろう》さだった。

港も、軍港と商港を別にし、いずれも拡張され整備も充分になされる。城壁は、戦器の進歩と戦法の転換に対応できるように、たえず整備が行われると同じ理由で、港の整備にも終りというものがなかった。パレスティーナを失った今、ロードス島の聖ヨハネ騎士団は、対イスラムの最前線をになったことになる。それは、常時の戦時体制を宿命づけられることを意味した。

ロードス全島が常に戦時体制下にあるということは、その島の行方を左右する騎士団も、戦時下に適した組織づくりを宿命づけられるということになる。十字軍時代からすでに相当に軍隊色が濃かった聖ヨハネ騎士団だが、ロードス移転後は、さらにそれを強める方向に進んだ。

騎士団は、騎士たちが母国語とする言語ごとに、独立した軍団に分れる。イタリア、イギリス、ドイツは、それぞれ一軍団を構成する。ドイツ軍団には、チュートン騎士団がプロシアにこもってしまったとはいえまだこの当時は存在したので、南ドイツ地方の貴族の子弟が多かった。スペイン人は、当初は一軍団だったのだが、まもなく、ポルトガル出身者をふくめたカスティーリアを主とするスペイン人と、ナヴァールやカタルーニアもふくめたアラゴン出身者の、二軍団に分れる。前者をカスティーリア軍団と呼び、後者をスペイン軍団またはアラゴン軍団と呼ぶように変った。

十字軍時代から断然多数の騎士たちを提供してきたフランスは、ロードス時代になってもその優勢は変らず、三軍団に分れていた。普通フランス軍団とだけで呼ばれる、イル・ド・フランス出身者たちで構成された軍団と、プロヴァンス軍団にオーヴェルニュ軍団である。これらの各軍団の構成員の数は必ずしも均衡がとれていたわけではなく、分割してさえ、フランス人の三軍団とスペインの二軍団の、量的優勢がゆらいだことはなかった。各軍団はそれぞれ、本部という感じの騎士館をもっている。騎士館も、フランスの三館とスペインは、広壮で立派なつくりだった。

これらの軍団は、軍団長ともいうべき騎士館長に率いられ、八人の騎士館長に、騎士団長と副団長、それにロードス担当の大司教らを加えた人々で、聖ヨハネ騎士団の最高決定機関、参謀本部と呼んでもよい委員会が構成されていた。この委員会は、騎士の罷免《ひめん》権も有していたから、立法、行政、司法を兼務していたと言ってよい。また、騎士団の西欧に所有する財産の運用から、ロードスを中心とする周辺の島々や基地に住む人の統治も、この委員会にゆだねられていた。

各騎士館に属す騎士たちは、この委員会の下に位する。聖ヨハネ騎士団の領する地域にある城塞の城代も、軍船の艦長も、士官階級に属すと言ってもよいこの騎士たちの中から任命された。西欧にある財産の運用は、老齢に達した騎士、いわば退役士官たちの仕事である。だが、常時戦時体制にあるロードス島の騎士たちは、戦闘によって死ぬ者が多く、老齢を迎えて西欧にもどれる者は少なかった。西欧からの「新入り」補充が可能な体制にあることもあって、オリエントにいる聖ヨハネ騎士団の騎士たちの平均年齢は、常に相当に若かったのである。

ここまでが、士官である、貴族の血をひいていることが条件の騎士である。宗教騎士団なのだから、修道僧と同じく、清貧、服従、貞潔の三原則を誓った男たちであった。もちろん、妻帯は許されていない。ロードスを本拠とするオリエントの聖ヨハネ騎士団では、これらの騎士たちの数は五百から六百で、いかに敵の本格的な攻勢が予測された場合でも、大幅にこの数を上まわることはなかった。

西欧にいてロードスの土を一度も踏んだことのない騎士もいたが、彼らのほとんどは、強大な勢力を有する王家や大貴族の子弟で、枢機卿《すうきけい》など、ローマ・カトリック教会の高位聖職者である場合が多かった。メディチ家出身で、ときの法王レオーネ十世の義弟にあたり、自らも数年後には法王になるジュリオ・デ・メディチ枢機卿も、イスラム教徒と戦った経験をもたない、聖ヨハネ騎士団の騎士であった。

これら騎士たちの下に、下士官階級にあたる、騎士たちの従僕《じゅうぼく》やロードス原住民の船乗り、それに病院勤務の医師がくる。この人たちとなると当り前のことだが、貴族の血をひいている必要はない。また、修道僧と同じ誓願をしなくてもよい。騎士たちにも一週に一度の病院勤務が義務づけられていたが、当時では貴族で医術を志す者はほとんどなく、カトリックのキリスト教の宗教団体である聖ヨハネ騎士団でも、専属の医師にはユダヤ人が多かった。

騎士団の公用言語は、当時の共通言語であったラテン語だったが、会合では、フランス語とイタリア語が使われていた。フランス語は、フランス出身者の数からして当然だったが、イタリア語は、騎士団への物資の供給や輸送を引き受けていたのが主としてイタリア商人であり、また、戦時体制下では絶えず必要な城塞の建造や修復工事を担当する技術者に、当時では圧倒的にイタリア人が多かったからである。もちろん、各騎士館内では、それぞれの母国語が話されていた。

病院

病院騎士団《オスピタリエレ》の俗称もあるように、医療事業は、聖ヨハネ騎士団の看板である。ロードス島にととのえられた病院も、騎士団長居城に次いで立派なつくりで、病院運営の最高責任者は、フランスかプロヴァンスかオーヴェルニュの騎士館長、つまりフランス人が兼務するのが伝統になっていた。ちなみに、イギリス騎士館長は騎馬隊の、イタリア騎士館長は艦隊の、最高責任者を兼ねると決まっていた。

アマルフィの商人たちがイェルサレムに建設した当初の目的は、聖地巡礼者の治療にあり、十字軍時代になってからは、聖地を異教徒から守る戦いで傷ついた戦士たちの治療も目的に加えられたのだが、ロードスに移ってからも、この二目的は、相当に様相が変ったとはいえ持続することができた。

十三世紀末に西欧キリスト教勢がパレスティーナを完全に失って以来、しばらくの間は聖地巡礼も途絶えていたが、まもなく、ヴェネツィアをはじめとする西欧諸国は、聖地巡礼を目的とする団体旅行の企画をはじめる。イスラム教徒のほうも、地中海にキリスト教徒を追い落としたことで目的は達したのだし、巡礼の落とすカネに無関心ではいられない。妥協は成ったのである。西欧とパレスティーナの間を往復するようになった巡礼船の、パレスティーナに近く、しかも安心して病人を降ろしていける地がロードス島であったのだ。一四八九年にキプロス島がヴェネツィア共和国に併合され、以後は西欧の船はキプロスにも必ず寄港するようになるが、それまでの百五十年間、ロードスの病院は西欧人にとって、遠隔の地で病いに倒れた際の、最も安全で最も高度な治療を期待できる施設でありつづけたのである。聖地巡礼者には、王子までふくめて社会的に重要な地位を占める人も少なくなかったから、ロードスの病院とそれを経営する聖ヨハネ騎士団にとっては、医療の質の向上と病院環境の快適さに心をくばるのも、充分にモトのとれる投資でもあったのである。イスラム教徒支配下のイェルサレムには、修道院をおくことは許されたが、巡礼者にとっては宿泊に使えるだけで、病人の治療までは、満足いく状態ではけっしてなかった。

そして、聖地を異教徒から守る戦いで倒れたキリスト教徒の治療、という第二の目的も、聖地を守るという意味はなくなってしまったが、異教徒の暴力からキリスト教徒を守るという意味ならば、立派に残っていた。

聖ヨハネ騎士団の船は、イスラムの船と見れば襲ったが、これも、乗組員を殺したり捕虜にしたり、船を沈めたり捕獲したり、積荷を奪ったりするだけではない。トルコ船はとくに、漕《こ》ぎ手《て》にキリスト教徒の奴隷《どれい》を使うのが普通だったので、この人々を鎖から解き放つという、大義名分が存在したのである。この大義達成の戦いで倒れた戦士は、宗教騎士団である聖ヨハネ騎士団にすれば、異教徒からキリスト教徒を守った戦士たちであったのだ。騎士団の騎士たちも、充分な治療を受ける権利があるわけだった。

これらの理由からも、ロードスの騎士団病院は、外観が壮麗で立派であるだけでなく、内容も、当時の治療の水準では群をぬいていた。肩を並べるのは、ヴェネツィア本国の病院だけといわれたほどである。

専属の医師団は、内科医二人と外科医四人で構成され、看護人は、一週に一日の病院勤務を義務づけられている騎士たちが受けもつ。天井が高く広々とした大部屋には、個人ベッドが並び、百人まで収容することができた。各ベッドのまわりには、カーテンをひけるようになっている。患者の身のまわり品や、巡礼であれば必ずある相当な荷物は、寝台の下に押しこんだり横に積みあげたりする必要はない。大部屋の一方の壁ぞいに、納戸《なんど》に使える小部屋がずらりと並んでいるので、そこに収めておくことができた。また、歩ける患者には食堂もある。毎朝、大部屋の中央にある小さな礼拝堂で、患者たちのためのミサがあげられた。他《ほか》に、七つを数える個室もあった。

治療費は、患者の貧富に関係なくすべて無料で、個室でも部屋代はとられない。食事も、これまた全員平等でしかも無料で、白パンに葡萄酒《ぶどうしゅ》もつく肉料理に煮た野菜というコースで、当時ではなかなかに豪勢なものであった。そのうえ、麻の敷布と銀製の食器も使える。これらは死去した騎士たちの遺物なので、敷布も銀食器も、西欧有数の名家の紋章で飾られている。そして、二階にある病室からそのまま足を運べる、大きくはないが南国の緑濃い影の下の散策を楽しめる庭園もあった。これでは、病院がしばしば拡張のための改築をしなければならないほど繁盛したのも当然だろう。

病院内では、賭博《とばく》は厳禁されていたし、大声で話すことさえも禁じられていた。見舞い客は認められていたが、実際問題として、他の患者の迷惑を心配するほど見舞いは多くなかったのである。故国から遠いオリエントの島で病床につく巡礼には、ただちに駆けつけてくる親族もいなかったし、戦いで傷ついた身を横たえる騎士も、家族なしの一人であることでは同じだった。

「キリストの蛇たち」

看板であった病院経営もこのように順調だったが、もう一つの本業である海賊業のほうも、これに劣らず繁盛する一方だった。

東地中海域での西欧勢力が後退し、代わってトルコの勢力が伸びるにしたがって、ロードスの近海は、ますます「メイン・ストリート」になっていったからである。トルコ帝国の主要港コンスタンティノープルやガリーポリから出港する船は、シリアやエジプトへ向おうと思えば、なんとしてもロードスの近海を通らないでは行けない。距離的にも近く、航行上の諸理由からも、最も自然な選択なのである。それにトルコ人は、通商民族でも海洋民族でもなかったので、なるべく沿岸航海をつづけようとする。トルコの支配下にあるギリシア人の船乗りにまかせる場合が多かったが、ギリシア人とて、エーゲ海の島影が常に見える海に慣れた民族だ。見えない海でも平然と航海する、ジェノヴァやヴェネツィア人のようなわけにはいかなかった。それで、トルコの港を出た後は、すでにトルコ領となっている小アジアの沿岸を可能なかぎり南下し、エーゲ海がつきるや、やむをえず地中海に乗り出すことになる。ところがそこに、ロードス島ががんばっているのだ。

しかも、ロードス近海は、地中海では珍らしい季節風海域になっていて、季節ごとに一定方向の風が吹く。その結果として、大気の澄みきっている時間が長い。視界も絶好ということになる。そのうえ、エーゲ海の延長線上に位置するので、海深度が浅く、少しの風でも波が立ちやすい。潮流も、南から北に向うのがあり、〇・五ノットから二ノットの速さはある。これらとてたいした悪条件ではないのだが、トルコ船は、純海賊船でもないかぎり、航行技能ではやはり劣る。それに反して、騎士団の船を操るのは、子供の頃《ころ》からこの海を知りつくしているロードス人だった。

船上から砲撃しあうようになったトラファルガーの海戦以前は、海戦といえば、敵の船に接近して乗り移り、敵船上で白兵戦を展開するのが海戦である。敵船に接近しさえすれば、あとは陸上の戦闘と大差ない。「青い血」の流れる聖ヨハネ騎士団の騎士たちは、敵と闘うことにのみ存在理由をもっている。ロードス人の巧みな操縦と騎士たちの勇猛果敢が合致したのだから、トルコ船がふるえあがるのも当然だった。そして、常時戦闘にさらされている戦士ほど強くなる。この点でも、聖ヨハネ騎士団は、戦闘集団としても理想的な状態を保つことができたのであった。

聖ヨハネ騎士団の海軍力は、量でも質でも、一度としてヴェネツィア共和国のそれにおよんだことはない。海洋民族ではないトルコやスペインには、量でおよばなかった。しかし、戦場は広げる必要はない。島の近海だけを張っていれば、獲物は向うからかかってくるのだ。そして、この海域を充分に活用するための要塞《ようさい》や基地は、戦略要地を選んで建設ずみである。船も、日帰りで港にもどれるのだから、遠距離を航海してくる船とちがい、余計なものを積む必要のないかわり、戦闘要員を多く乗りこませることが可能になってくる。船の大きさも、ヴェネツィアの三本マストの大型ガレー船に比べれば半分ほどしかなかったが、マストの数は同じだ。ロードス近海の戦闘用のみを考えてつくられたこの快速ガレー船が、聖ヨハネ騎士団の海軍の主力だった。四・五ノットから七ノットは軽く出たという。

もう一点、聖ヨハネ騎士団の軍船と、ヴェネツィアやジェノヴァのガレー船のちがう点があった。それは、イタリアの海洋都市国家が、戦闘専門の兵を多く乗せるかわりに、漕ぎ手も敵船に接近した後は戦闘要員として活用しようと、奴隷でなく自由民を使ったのに反して、騎士団の船の漕ぎ手は、捕われて奴隷にされたイスラム教徒が大部分であったという事実である。そのために、イタリア船のように漕ぎ手を上甲板に坐《すわ》らせることができない。甲板のすぐ下に天井の低い階をもう一つもうけ、漕ぎ手たちはそこに並ぶ木製の鎖でつながれて漕ぐのである。敵船に接近した際に、同じイスラム教徒に背後をおびやかされずにすむためだった。この点では、キリスト教徒の奴隷を鎖でつないで漕がせる、トルコ船と同じだった。

各島の要塞を、のろしをあげながら伝える式の信号がロードスに達するや、四隻《せき》で一組になった船団が出港する。一船あたり、通常、百人の漕ぎ手、二十人の船乗り、五十人の騎士が乗り組んでいる。

まず、二隻が、近づいてくる敵船のかたわらを快速で通り越し、獲物の背後にまわる。次いで、残りの二隻が敵船の正面に立ちはだかる。こうしてはさみうちの形にしてから、船を敵に可能なかぎり近づけるのだ。敵の船とこちらの船の櫂《かい》がかみ合うまでになったところで、「ギリシア火焔薬《かえんやく》」を投げこむ。

もちろん、トルコ船も、この危険海域に、一隻でふらふらとやってくるわけがない。たいがい四、五隻で船団を組んでいるし、ときには、十隻近くもまとまって船を進めてくる。聖ヨハネ騎士団側も、物見の伝える情報に応じて、送り出す船団の数を増減するわけだ。場合によっては、敵の一隻対味方二隻の対決もあったし、一隻と一隻が対するときもある。それでも、操縦技術と戦闘能力で優れる騎士団の船は、トルコの船をふるえあがらせるに充分だった。帆柱の頂上にひるがえる赤地に白十字の旗は、イスラム教徒にとっては、悪魔の宣告に見えたのである。

「ギリシア火焔薬」と通称された火器だが、ビザンチン人の発明になるといわれ、パレスティーナ時代の十字軍も活用したものだった。硝酸カリウムと硫黄、アンモニウム塩、樹脂などを混ぜ合わせてつくるが、混合の割合は秘法とされていて、現代でもわからない。使い方にもいろいろあって、銅製の長い筒にこめ、それに火をつけて敵に向ける、現代の火焰放射器のように使う場合。または、テラコッタ製の丸いつぼの中に入れ、それを敵に向って投げこむ、いわゆる手榴弾《てりゅうだん》式使い方。その他には、同じくテラコッタのつぼに入れたものに、導火線を通して、それに火をつけて投げこむ爆弾式使い方もあった。ビザンチン人は、船首につけた動物の形をした飾りの口から、敵船に向って火を吹く式の使い方もしたらしいが、聖ヨハネ騎士団の船では、この使い方はしていない。風向きによっては、自分たちの船のほうが火につつまれる危険があったからだろう。

いずれの使用法をとっても、この「ギリシア火焰薬」を敵船上に投げこむと、当時の木製の船では、甲板も帆柱も帆もたちまち火につつまれる。これで敵を混乱させておいて、鋼鉄の甲冑《かっちゅう》に身をかためた騎士たちが突っこむのだ。この戦法は、騎馬を奪われたとはいえ、中世騎士の戦闘魂に実によく合っていたようである。

一度として大艦隊をもったことのない聖ヨハネ騎士団だったが、小艦隊による徹底したゲリラ戦法で、確実な戦果を得ることができたのだった。船は焼かれ、乗組員は殺されるか捕虜になり、船客は人質にされたうえ、自由が欲しければ莫大《ばくだい》な身代金と交換だ。船荷も、ごっそり奪われる。トルコ船は、これを避けようと思えば、大艦隊の護衛に頼るしかない。しかし、海運国でないトルコは、実際上、「メイン・ストリート」を航行する船団一つ一つに、大艦隊をつける余裕はもちあわせていなかった。そして、聖ヨハネ騎士団のこの海賊行為を正当化したのは、異教徒攻撃ということと、異教徒の鎖につながれたキリスト教徒解放の二事であったのである。

ただし、イスラム憎し、であまりにも首尾一貫していたために、同志であるはずのキリスト教徒との間が、ときにはまずく行ってしまった場合もある。それは、とくに、通商国家であるがために現実路線をとるしかない、ヴェネツィア共和国との関係だった。

ある年、北アフリカの沿岸を航行中のヴェネツィアの船が、しばしば遠征もしていた騎士団の船に襲われ、ロードス島に曳航《えいこう》されただけでなく、その船に船客として乗っていたアラブ人十人が、奴隷として売られた事件が起った。これは、一四五三年のコンスタンティノープル陥落によるビザンチン帝国滅亡の前で、いまだトルコとヴェネツィアは、対立関係にはなかった時代のことである。事件を知ったヴェネツィア政府は、信教のいかんにかかわらず乗客の安全を保証するのは、その人々を乗せた者の義務であるとして、急ぎ、クレタ島駐《ちゆう》屯《とん》のヴェネツィア艦隊に出動を命じた。そして、ロードスの港の入口を埋めたヴェネツィア軍船の砲口が、港の城壁にぴたりと的をつけた中で、騎士団に、アラブ人を返すかそれとも戦いを交じえるかとつめ寄ったのである。ヴェネツィア船は、乗客ともども返還されたのであった。

しかし、十五世紀の後半になると、ヴェネツィア共和国も、やむをえずにしてもトルコと二度の戦争をするが、その戦いの合い間の平和な時期に、聖ヨハネ騎士団は、公然とヴェネツィア商船も襲撃した。異教徒と協約を交わすキリスト教徒は、騎士団にしてみれば、異教徒以上に憎むべき存在だったからである。だが、このやり方で徹底したからこそ、聖ヨハネ騎士団は、パレスティーナを失って以後も、宗教騎士団としての存在理由をもちつづけることになる。しかも、精神上の理由だけでなく、それは土地や財産の寄進につながるのだから、彼らには、もはやこの生き方しか残されていないわけだった。

聖ヨハネ騎士団は、ヴェネツィア共和国のように、通商で生きていく必要はなかった。通商による生き方を捨てることによって、彼らは生きていたのである。

こうなると、ジェノヴァが国家として衰退した後、東地中海では対トルコの二つの勢力になってしまったヴェネツィアと騎士団の関係も、単純ではなくなってくる。

ヴェネツィアの有力貴族の家からは、一人として、聖ヨハネ騎士団に入った者はいない。騎士団のほうも、商いを基盤にした「貴族《ノーヴィレ》」には、青い血が流れていると認めなかったからでもあるが、同じ都市貴族のメディチ家からは出ているし、ジェノヴァ人も多勢いる。ヴェネツィア政府が、許さなかったからである。

ただし、ヴェネツィア共和国のような生き方をする国にとっては、ある勢力を明確に敵にまわすほど、不利だし愚かなことはない。ヴェネツィアは、情況がそれを許す時期には公然と、許さない時期には裏から、聖ヨハネ騎士団の要求をかなえてやっていた。しかし、騎士団のほうは、裏からそれがなされた場合、ほとんど気づいていなかったようである。敵を欺《あざむ》くにはまず味方を欺かねばならぬ、という高度なテクニックは、中世の「青い血」のものではなかったらしい。

征服王マホメッド二世

ロードス島にこもる騎士団を、勢力拡張の一方だった新興国トルコが、ただただ手をつかねて放置していたわけではない。一四五三年にビザンチン帝国滅亡をなしとげ、首都をコンスタンティノープルに移すことによってビザンチン帝国の後がまに坐れると宣言したほど、地中海世界の制覇《せいは》に熱心だったスルタン・マホメッド二世である。一四八〇年、十万の兵からなる大軍を、ロードス征服に送る。聖ヨハネ騎士団は、騎士団長ピエール・ドブッソンの指揮下、三カ月にわたった攻防戦を闘いぬいた。スルタン臨席でなかったことからくる将軍たちの戦法の不徹底と、トルコ軍を襲った流行病が、騎士の数だけならば六百でしかなかった、防衛軍を救ったのである。

この、トルコにしてみればたいして不名誉でもなく士気にも影響しなかった敗退も、聖ヨハネ騎士団にとっては、三百年昔のパレスティーナ時代にまでさかのぼらなくてはならないほどの、価値ある戦勝になったのだった。ビザンチン帝国も海の女王ヴェネツィアも勝てなかったトルコを向うにまわし、その撃退に成功したのである。西欧諸国も、あらためてロードスの騎士たちの存在に気づいたとでもいうように、このキリスト教世界にとっての快挙を祝った。ドブッソンは、歴代の騎士団長が誰《だれ》も果せなかった、枢機卿《すうきけい》の地位まで獲得する。西欧での寄進や、騎士志願者が激増したのはいうまでもない。

ただ、トルコが、このまま手をひきつづけるとは考えられなかった。その後の四十年間、騎士団は防衛力増強に専念する。その中でも、一五一三年から二一年まで騎士団長を勤めたイタリア人のファブリツィオ・デル・カレットは、コンスタンティノープル陥落以後、武器の主力となった大砲にそなえて、城壁のつくりを一変させるのに功があった。当時の技術先進国イタリアの出身だけに、武勇だけが勝敗を決する時代は終ったことを理解していたからである。

聖ヨハネ騎士団が、相対的にしても四十年間の平穏な時期を享受《きょうじゅ》できたのは、トルコがその間、ロードスに真剣に眼《め》を向けなかったからにすぎない。

マホメッド二世の息子バヤゼットの時代は、父が勢いのおもむくままに征服した大帝国の固めに専念せざるをえなかったし、孫のセリムの時代は、トルコ民族念願の、シリア、アラビア、エジプト征服を実現したからである。だが、一五一七年に完成したこの大征服によって、メッカを領有することにもなったトルコは、精神上でもイスラムの盟主になる。東地中海を完全に内海化した彼らにとって、眼の上のこぶロードス島を攻める季節が到来したわけだった。

この「内海」に浮ぶもう二つのキリスト教徒の砦《とりで》は、キプロスとクレタだが、この二つの島は、いまだ海軍力では手強《てごわ》いヴェネツィア共和国がにぎっている。一方、残る一つの砦ロードスは、大国トルコから見れば、まったくひとにぎりの男たちが守る島だった。そのうえ、海賊はしないヴェネツィアとはちがって、ロードス征は、海賊退治といえないこともない。しかも、十字架を正面に押したててくる僧兵が相手なのだから、イスラムの正義が百パーセント通用する。一五二〇年、トルコのスルタンに即位したスレイマンは、ついにロードス制圧を決心した。

「キリストの蛇《へび》どもの巣」は、西に台頭してきたハプスブルグ王朝と相対せねばならないことを自覚していた若いスルタンにとって、これ以上存在を許してはならないものに思えたのであろう。即位一年後にしてハンガリアに遠征し、ベオグラード征服に成功したスレイマンの眼は、ロードス島にそそがれたのである。

スルタン・スレイマン一世

無から大をなしたという意味ならば、正確にはスルタン・マホメッド二世は、一代目ではない。だが、ビザンチン帝国を滅亡させ、トルコ民族に以後の方向を与えたという意味でならば、やはり一代目と考えてよいだろう。そして、バヤゼット、セリムとつづいてスレイマンだから、後に大帝と尊称されるスルタン・スレイマンも、正確には三代目ではない。ただ、スレイマンは、あらゆる意味で三代目の要素をもっていたスルタンだった。

曾祖父《そうそふ》マホメッド二世は、十九歳で即位した際に、跡目争いを未然に防ぐ目的で弟を殺させるという先例をつくったが、祖父のバヤゼットはそれを怠《おこた》ったがために、弟の一人ジェームに反乱を起されてしまう。反乱は鎮圧したものの、ジェームにはロードス島に逃げられるという苦い経験も味わうことになった。

聖ヨハネ騎士団長は、向うからころがりこんできたこの貴重な人質を、ロードスにかかえていてはトルコに攻撃の名分を与えることにもなると考え、騎士団長の母国フランスへ送ったのである。それを、トルコ攻勢の楯《たて》に使えるとしてフランス王から譲り受けたのが、法王ボルジア（アレッサンドロ六世）であった。こうして、トルコの王子はローマで優雅な人質生活をおくっていたが、コンスタンティノープルにいる兄のバヤゼットにしてみれば、消えてくれるほうが望ましいのは当然だ。スルタンは、ローマ法王にあてて、次のような手紙を送った。

「トルコ帝国のスルタンは、人質という哀れな弟の境遇を想《おも》って、悩み悲しむ日々がつづき、なんとしても不幸な弟を救うのが肉親の情であると考え、ようやく一つの結論に達した。ジェームを、この世のあらゆる苦しみから解き放ち、彼の魂がより平安を得られるであろう、あの世に移すことがそれである、と。

これをしていただければ、法王には、三十万ドュカートを御礼としてさしあげたい……」
金使いの豪放さでも有名であった法王ボルジアだから、メディチ家の全財産にも迫るこの巨額な報酬は、のどから手が出るほど魅力的であったろう。だが、彼はまた、稀代《きたい》の政治的人間でもあった。人質は、生かしておけばおくほど価値があがるということも知っている。トルコの亡命王子は、「ボルジアの毒」を盛られないですんだのであった。ただ、この後数年して、イタリアに侵入してきたフランス王に強制的に同行を求められ、ナポリへ向う途中でマラリアにかかって死んでしまう。

次のスルタン・セリムは、この不祥事をくり返してはならぬと思ったのか、即位直後に、二人の弟とその妻妾《さいしょう》に子供の計十七人を殺させた。しかし、その子スレイマンは、姉妹たちはいても男子は彼だけだったので、血に染まった玉座に坐らないでもすんだのである。

このような事情も反映してか、二十五歳で即位したスレイマンは、即位当初から、「法の人」「秩序の支配者」と評価されることを望み、また自らも、折あるごとにそれを示すことを好んだ。ロードス征服は決意したが、宣告もなしに軍を送るなどということは、彼の趣向ではない。一五二一年、死去したファブリツィオ・デル・カレットの後を受けて騎士団長に就任したばかりのフィリップ・ド・リラダンにあてて、直筆の親書を送ったのである。

西にいるハプスブルグ家のカルロスと比べて、教養では確実に優れていたスレイマンの手になるだけに、それは見事なラテン語の手紙だった。手紙には、その年一五二一年中になしとげたトルコ軍の戦勝を列記しながら、これらの充分に防衛された美しい都市を征服し、多くの住民を殺し、生存者はことごとく奴隷《どれい》の境遇に落とした、と書き、聖ヨハネ騎士団の団長も、長年の近隣の間柄《あいだがら》、わたしの戦勝をともに祝っていただきたい、と結んでいる。

もちろん、騎士団長には、この優雅な文面の裏にあるものがわかっていたが、こちらも「青い血」の流れる身、イスラム教徒相手にあげた騎士団側の戦績を列記して、スルタンもともに祝っていただきたいものである、と書き送ったのであった。

スレイマンは、もう一度親書を送ってくる。ただ、今度は、よほど素直だった。

「貴下に、ただちに島をひきわたすよう命ずる。……貴下とその部下の騎士たちには、騎士団にとって貴重なる品々とともに、島を去る権利を認めよう」

この後につけ加えて、もしも聖ヨハネ騎士団がロードス島にとどまりつづけたければ、それも許そう、ただし、スルタンの臣下としてである、と書いてあった。五十七歳の騎士団長は、これには返書すら送らなかった。

宣戦布告は、なされたのである。

第四章 開戦前夜

技師・マルティネンゴ

イタリア騎士館に起居するアントニオ・デル・カレットには、ジェノヴァ近くの僧院ですごした日々とは、まったくちがう生活がはじまっていた。

聖ヨハネ騎士団に騎士として入団した者には、普通三年におよぶ期間の修道院生活が課される。キリストの戦士として活動しはじめる前に、キリストの下僕《しもべ》として、神に捧《ささ》げる質素で平安な数年をおくらねばならないとされていたのである。これが、アントニオの場合は一年で終ってしまったのは、戦力増強にはやるロードス島の本部から召集されたからだった。ただ、アントニオの場合、ロードス到着後にまっていたはずの、新参騎士に課される通常の訓練も、騎士団長じきじきの命令によって延期されていた。

通常の訓練とは、船に乗りこみ、イスラム船襲撃に参加することである。訓練というよりもいきなり実戦に直面させるわけだが、武術には幼時より慣れている「青い血」も、船上での戦闘の経験をもつ者は少ない。しかし、ロードスでは、「海賊」が彼らの仕事である。一日も早く、一人前の海賊になる必要があった。

　それなのに、アントニオの受けた命令はなんと、通訳をせよ、というものだった。アントニオと同じ船でロードスに着いたあのヴェネツィア人と、団長以下騎士団の首脳たちの間の意志疎通の役をおおせつかったのだ。団長も各言語別の騎士館長たちも、イタリア語を解さないのではない。また、ヴェネツィア男のほうも、フランス語もドイツ語も、いくぶんかはわかる。ただ、男の話すイタリア語が、ヴェネツィアではなく、その属州であるヴェネト地方の方言なものだから、他国人にはわかりにくいだけなのであった。

　それに、騎士団長は、この男の言葉のどんな微妙な陰影をも、理解したいと望んでいるかのようだった。フランスとの国境に近いリグーリア地方に生れ育ったために、フランス語を自由に駆使できるイタリア人のアントニオが、通訳に起用された裏にはこういう事情があった。

　まったく、一語も聴きもらしたくないと言う騎士団長の言葉が示すとおり、「青い血」の持主でもなく、ために騎士でもないこの男の到着は、十人の騎士、いや百人の騎士の到着より待たれていたのではないかと、アントニオには思われた。ヴェネツィア共和国の属州、北イタリアのベルガモの出身であるこの男は、築城を専門とする技師だったのである。

名は、ガブリエル・タディーノといった。ベルガモの街の郊外にあるマルティネンゴの生れであるので、建築技師の世界では、マルティネンゴとだけで呼ばれるほうが多いとのことだった。年頃《としごろ》は、四十半ばすぎ。貴族ではない。背は低めだが、頑丈《がんじょう》な体格の持主である。

二十代は、ヴェネツィア共和国陸軍の、技術将校をしていたという。ヴェネツィアがあらゆる国を相手に戦う羽目になってしまった一五〇九年の「カンブレー同盟戦」では、ドイツの神聖ローマ帝国皇帝マクシミリアン一世の軍に包囲された、パドヴァの防衛に参加していた。この三年後には、今度は攻勢に転じたヴェネツィア軍の先鋒《せんぽう》を勤め、ブレッシア攻撃に参戦する。その際に負傷し捕虜になったが、一年後に捕虜交換によって釈放されてもどってきたマルティネンゴを、ヴェネツィア政府は、歩兵隊指揮権をもつ特別職の大佐に任命した。特別職の内容は、もちろん城塞《じようさい》技術である。この地位でさらに三年、北イタリアでの戦闘参加がつづいた。

それが、一五一六年になって、ヴェネツィアの元老院は、この特別職大佐を、エーゲ海最大のヴェネツィア基地クレタに、城塞整備のために派遣すると決める。それから五年、クレタ島城塞総監督のマルティネンゴは、クレタの北岸ぞいに、文字どおりアリのもぐりこむすきまもない堅固さで西から東を固める、グラブーザ、カネア、スーダ、レティモ、カンディア、スピナロンガの各城塞の整備と強化に、専念する日々をすごしたのだった。

ところが、クレタ滞在も六年目を迎えようとするある日、クレタの首都カンディアにある彼の家を、一人のフランス人が秘《ひそ》かに訪れたのだ。そのまだ若い男は、ラ・ヴァレッテと名のった。聖ヨハネ騎士団の騎士で、ロードス島から来たという。そして、ヴェネツィアの築城技師に、思わず技師の顔色が変るようなことを語りはじめたのである。

ラ・ヴァレッテは、ロードスの城塞監督としてマルティネンゴに来てもらいたいという、騎士団長からの伝言をもってきたのだった。だが、彼は、三顧の礼をつくして頼むようなことはしなかった。それどころか、トルコ軍の来襲は避けられないであろうし、戦いがはじまれば、防衛側の苦戦は避けられないであろう、と言った。また、聖ヨハネ騎士団の対異教徒の輝かしい数々の戦績など、一言も彼の口からでなかった。実に明快に、ロードス島は優秀な築城技師を必要としていることを、淡々とした口調で話しただけである。だが、それがためにかえって、ヴェネツィアの技師の、技術家魂に火をつけたのだった。

対トルコの最前線基地クレタに長いマルティネンゴは、トルコのスルタンの聖ヨハネ騎士団一掃の決意が、これまでになく固いものであることは知っている。また、彼が奉仕するヴェネツィア共和国は、早々に、トルコにも騎士団にも与《くみ》しない中立の立場をとると表明していた。実際、聖ヨハネ騎士団からの、クレタでの傭兵《ようへい》の募集も兵糧《ひょうろう》の購入の要請も、本国政府の指令によってクレタの総督は断わっている。技師とはいえヴェネツィア軍の一員であるマルティネンゴが、しかも大佐である彼が、騎士団の招聘《しょうへい》に応じたりしては、国の方針に反することになる。共和国の利益を最優先するヴェネツィアは、自国民に、国益に反する行為を絶対に許さないことでも知られていた。総督に願いでたとしても、許されないことははじめからわかっている。かといって、ヴェネツィア国籍をもつ築城技師が、聖ヨハネ騎士団に協力してはならぬという、明快な指令もでていない。しかし、攻防戦は必至とみられるロードスの防衛を技術面からまかされるのは、マルティネンゴの職業意識を刺激せずにはおかなかった。

ヴェネツィア共和国のエンジニアならばごく当り前のことなのだが、築城技師でも造船技師でも、彼らが設計し建造した段階で、技師の仕事が終ったわけではない。船をつくった技師は、海戦に向うその船にともに乗りこみ、航行中や戦闘前後の修理修復の、いっさいの責任をもつことになっている。築城技師でも同じことで、攻防の間こそ、彼らの技能がより必要とされることが多い。しばしば、一人の技師の臨機応変の処置が、戦況まで左右することさえあったのである。

ロードス島の城塞は、マルティネンゴが設計したのではない。だが、三年前に騎士団から招聘され、大規模な改造工事を担当した技師は、マルティネンゴとは同じヴェネツィア市民の、ヴィチマンツァ生れのスコラだった。そして、スコラによって一変したロードスの城塞は、当時の東地中海域で、並ぶもののない堅牢《けんろう》なものと評判が高かったのである。それを、これからは自分が責任をもつ。この想《おも》いは、壮年になっているマルティネンゴの胸さえも、甘苦しくしめつけずにはおかなかったのであろう。

ついに、若い騎士の独得な誘惑は成功したようであった。逃げるしかない、と技師は言った。軍隊離脱を犯そうというのだ。ラ・ヴァレッテは、まるでこうなると予想していたかのようにうなずき、言った。

「カネアの沖合に船を停《と》めてまつよう、手配しましょう。小舟はそちらで、調達していただかねばなりません」

マルティネンゴは、グラブーザ島の城塞視察という名目で、カネアの港を舟ででられる、と答えた。脱出を隠すにもロードスでの仕事にも好都合ということで、マルティネンゴの使っている二人の助手も連れて行くことに決まった。

脱出が決行されたのは、それからほぼ二カ月が経《た》ってからである。その二カ月間というもの、マルティネンゴは、逃亡が未然に発覚したときの恐怖や、たとえ成功してもそれが明るみにでた際にヴェネツィア政府のくだすであろう罰の怖《おそろ》しさを思って、まんじりともしない夜をすごしたのだった。

彼と助手二人の乗った小舟を拾ったのが、アントニオも乗っていたジェノヴァ船である。身の危険はもはや去ったとわかった後でも、マルティネンゴは、二日も船の寝床から起きあがれないほどの心労でぐったりしていた。

だが、技師は知らなかったのである。彼と彼の助手二人がジェノヴァ船にひきあげられてまもなく、カネアの城塞から馬をとばす伝令が東へ向い、それをカンディアで受けたクレタ総督の命令で、急ぎの報告を乗せた快速船がヴェネツィア本国に向ったのを、マルティネンゴは知らなかったのである。

総督からの極秘文書あつかいのこの報告書は、ヴェネツィア共和国の諜報《ちょうほう》機関であり、最重要事項を秘密裡《り》に処理する機関でもある、十人委員会の委員長にあてられていた。そして、それには次のように記されてあったのである。

「技官大佐ガブリエル・タディーノ・ディ・マルティネンゴが、無事逃亡に成功したことを報告いたします」

深謀遠慮

ヴェネツィア共和国は、他国との交易によって生きている国である。もしもすべての国がヴェネツィアと同じような経済体制にあれば、国際関係は経済原則だけで動くはずなのだ。だが、現実はなかなかそのように運ばない。領土型の国家は、いざとなれば自給自足が可能なので、他者を絶対に必要とするヴェネツィア式の生き方を理解できない。たとえ信ずる宗教がちがっても、経済関係をなりたたせるにはなんら不都合はないという考え方を、金もうけしか頭にない節操のない民族と断じるのである。とはいえ、イスラム側はキリスト教国に対して、侵略意図をあらわにしているのが現実だったから、ヴェネツィア式生き方を非難する側にも一理はあったのである。敵を利する、というわけだ。

そのうえ、十六世紀初頭という時代は、西欧の主導権は、ヴェネツィア型のイタリアの都市国家から、フランス、スペインをはじめとする領土型の大国に、決定的に移りつつある時代でもあった。このような国際環境であれば、ヴェネツィアのような国は、生き残ろうと思えば、すべてに慎重な配慮を欠くわけにはいかない。外交感覚のあるなしが国の存亡にかかわる型の国家の、これが宿命であった。

一四五三年に行われたコンスタンティノープルの攻防戦に、コンスタンティノープルのヴェネツィア居留区は、皇帝の要請を受けてビザンチン帝国側につき、国旗を前面に立てて公然とトルコに抗戦した。だが、陥落と同時に起ったビザンチン帝国の滅亡の直後、新しくコンスタンティノープルの主になったトルコに、ヴェネツィアは、コンスタンティノープルにひきつづきヴェネツィア居留区をおくことによる、両国の通商関係継続を願う特使を派遣する。しかもその特使に、攻防戦に参加したヴェネツィア市民は、個人の資格で参戦したのであって、国家としては、はなはだ遺憾に思っている、とまで言わせたのである。

しかし、攻防戦に加わったヴェネツィア人の一人として、自分たちの死が犬死でないことを確信しなかった者はない。実際、彼らの犠牲は無駄《むだ》ではなかったのだ。

コンスタンティノープルは陥落し、一千年の輝かしい歴史をもった東ローマ帝国は滅亡した。代わりに登場したトルコ帝国によって、地中海世界の勢力図は、一挙にイスラムに有利に変るのも、予測ではなくて現実になった。だが、あの戦闘で、国旗をかかげて抗戦した西欧人は、ヴェネツィア人しかいなかったのである。ヴェネツィア共和国は、この事実を、ローマ法王をはじめとする西欧諸国対策として百パーセント活用しながら、同時に、異教徒トルコとの通商関係再開に全力を投入したのである。もしも、コンスタンティノープルのヴェネツィア居留区が、ジェノヴァ居留区と同じような中途半端な態度に終始していたら、このような綱渡りはとてもできなかったであろう。実際、ジェノヴァは、トルコとの経済関係再開に、完全にヴェネツィアに遅れをとってしまう。

キリスト教徒の帝国をイスラムが滅ぼしたという現実は、西欧のキリスト教徒にとっても、一大痛恨事と受けとられたのである。その血がまだ乾かないうちに、血を流させた相手と手を結ぶ感じのヴェネツィアを、西欧は、簡単には許しはしなかったであろう。西欧キリスト教国の非難の大合唱の中で、ヴェネツィアの孤立は避けられなかったにちがいない。ヴェネツィアのような国にとって、孤立は、絶対にしてはならない贅沢《ぜいたく》なのである。なぜなら、経済関係の断絶を意味するからだ。ヴェネツィアがそれを避けられたのは、コンスタンティノープル攻防戦で流された血に、ヴェネツィア人の血も混じっていたからであった。クレタに駐在していた一技師の「逃亡」も、ヴェネツィア共和国の外交感覚の産物にすぎない。

東の「他者」トルコを刺激する行為は、この場合中立を宣言している以上、しないにこしたことはないのは決まっている。かといって、トルコの攻撃の的《まと》は、ローマ・カトリック教会直属の、聖ヨハネ騎士団の本拠ロードス島である。これを、中立の立場にあるという理由で見離しては、法王をはじめとする西欧諸国を刺激してしまう。

クレタでの食糧調達や兵の募集は、ヴェネツィアは許さなかった。こういうことは目立つ行為であり、トルコを欺《あざむ》くことは不可能だったからである。だが、ヴェネツィア軍に属す一技師が、自らの一存で軍を離脱し、ロードス島攻防戦に参加するのはかまわない。トルコ側には、勝手に逃亡したのだと言えるし、西欧側には、われわれはこういう形で参戦したのだと、申しひらきができるからである。

攻防戦に際して築城技術の専門家は絶対に必要であったし、当時のこの方面の技術では、ヴェネツィアは、西欧第一の先進国であった。マルティネンゴは、東地中海のヴェネツィア最大の基地クレタの、技官としては最高位にある。数隻《せき》の船に満載した食糧や兵士と比べても、まったく遜色《そんしょく》のない「救援」なのであった。

どうも、聖ヨハネ騎士団の騎士ラ・ヴァレッテのクレタ訪問自体が、ヴェネツィアが巧妙に仕組んだ線にのってのことではないかと思われないでもない。ヴェネツィアならばやりそうなことだが、そこまで実証する史料はないのである。

だが、マルティネンゴ自身は、死ぬ想いで脱出したのだし、長年、祖国を裏切ったという悔いに胸を焼かれてすごすのである。彼もまた、敵を欺くにはまず味方を欺かねばならぬと考えた、ヴェネツィア式外交の、「犠牲者」の一人であったのかもしれない。

「騎士の叔父上」

貴族の血が流れていない者は、ほとんど人間あつかいされないのが伝統であった騎士団だが、ヴェネツィアの技師に対するあつかいの丁重さは、まったくこの伝統を裏切るものだった。

騎士団長リラダンも各騎士館長も、貴族らしくすらりとのびた背を曲げまでして、マルティネンゴの口からでる言葉を、一語も聴きもらすまいとする。それに、技師のほうも自らの技能に自信をもつ者特有の簡潔で明快な言葉で、的確に観察し分析し意見をのべるのだった。

アントニオの仕事は、これをフランス語に訳すことなのである。

騎士団長がこの仕事をアントニオに与えたのは、若者が、ヴェネト方言とフランス語の両方を解しただけではない。亡《な》き戦友で先代の騎士団長ファブリツィオ・デル・カレットの若い甥《おい》に、叔父の遺業のすばらしさをわからせてやりたいという温情からでたことでもあった。

実際、城壁視察がはじまるや、アントニオの胸には、「騎士の叔父上」とだけでカレット家では通じた叔父の存在が、はじめてはっきりと感じられるようになったのだった。

アントニオは、十歳の年に一度だけ、「騎士の叔父上」に会ったことがある。法王ジュリオ二世が召集したラテラーノ公会議で、警護は聖ヨハネ騎士団にまかされたのだが、その折り、騎士たちの長を勤めたのがファブリツィオだった。その公会議終了後に、ほんの数日だったが、フィナーレの城に滞在した叔父と会ったのである。

だが、そのときの叔父ファブリツィオは、武将らしいところがほとんど見えず、立居振舞もおだやかでまるで学者のようで、十歳のアントニオをおおいに落胆させたものである。イスラム教徒との白兵戦の模様など、聞かれるままに語りはするのだが、それもいかにも他人事を話しているようで、手に汗にぎる物語を期待していた人々は、十歳の少年でなくてもがっかりしたのである。

ただ、父の侯爵《こうしゃく》が「騎士の叔父上」に三人の息子をひき合わせたとき、長男は世継ぎ、三男は軍事と決まっている中で、二男のアントニオはいずれは叔父上の後を継ぐと紹介されたのだが、聖ヨハネ騎士団の騎士は、しばらくの間優しい視線を十歳の甥に向けたままだった。そして、子供といえどもアントニオは、叔父滞在中の食卓では、常に叔父の隣りに席を与えられたのである。

この翌年の一五一三年、フィナーレのおだやかな海辺の城に、ファブリツィオ、騎士団長に選出、という知らせがとどいたときは、カレットの一族全員がびっくりしてしまった。

なにしろあの叔父上が、西欧の名門出身のさっそうたる騎士たちを率いる立場になるなどとは誰《だれ》一人想像していなかったし、聖ヨハネ騎士団では伝統的にフランス人の勢力が強い。

騎士団長に選ばれる者の大半は、フランス出身者で占められるのが普通だった。イタリア人としては、四十年ぶりである。それも、四十年前のイタリア人騎士団長はオルシーニ家の出身で、ローマで一、二を争うオルシーニならば当然でも、ジェノヴァ近くの一侯爵家では、画期的な出来事とされても無理はない。ローマの法王からは祝いの言葉が送られてくるし、一家のその年の話題は、騎士団長の叔父上の話でもちきりだった。

だが、この誇らしい話題は、年が重なるにつれて人々の口の端《は》にものぼらなくなった。ファブリツィオ・デル・カレットは、一五一三年から二一年まで騎士団長を勤めるが、その間、トルコは攻勢をかけてこなかったので、ヨーロッパにまでとどくような、輝かしい武勲をたてようもなかったからである。いつのまにかフィナーレの海辺の城でも話題にのぼらなくなり、しばらくぶりに再び名が口にされたのは、叔父の死の報がもたらされた年だった。十九歳になっていたアントニオは、胸に白十字のついた聖ヨハネ騎士団の僧服をまとう身になっていた。

あれから一年が経った今、アントニオは、団長であった八年間を叔父がどのように使っていたかを、はじめて眼《め》にすることになったのである。ロードスの市街をぐるりと囲む城壁、これが、ヨーロッパが忘れていた間に叔父がなしとげた業績であった。アントニオの胸ははじめて、誇りで破れそうになっていた。そのために、かたわらを行く技師マルティネンゴの眼が、城壁上を進むにしたがって、讃嘆《さんたん》で輝きはじめたのも、しばらくは気づかなかったほ

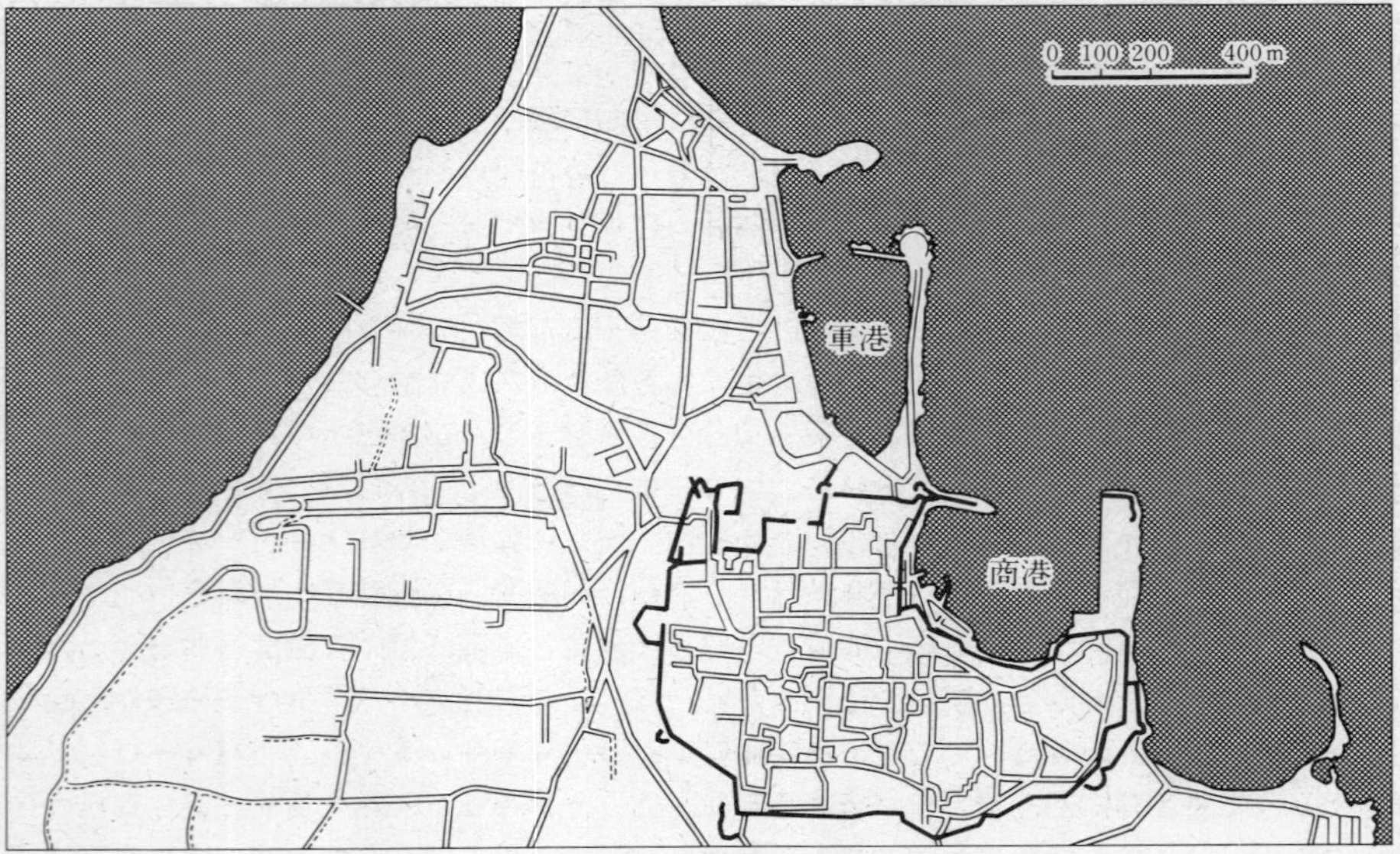

ロードス島の最北部

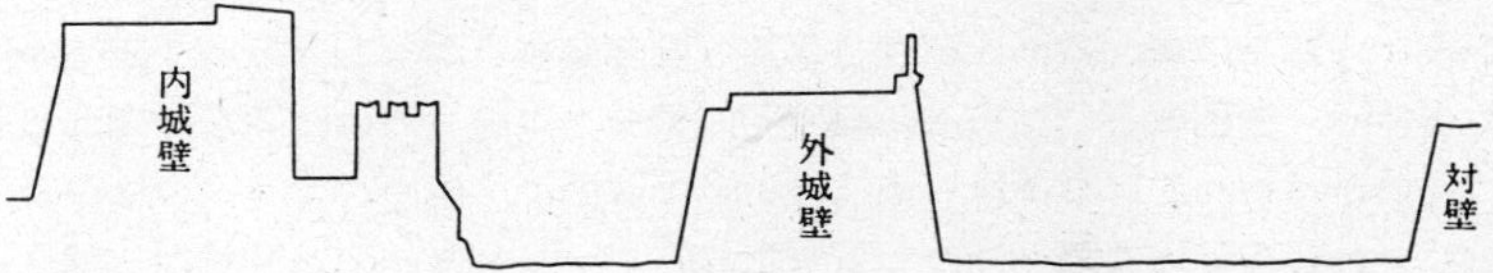

デル・カレットによって大改造された部分の城壁

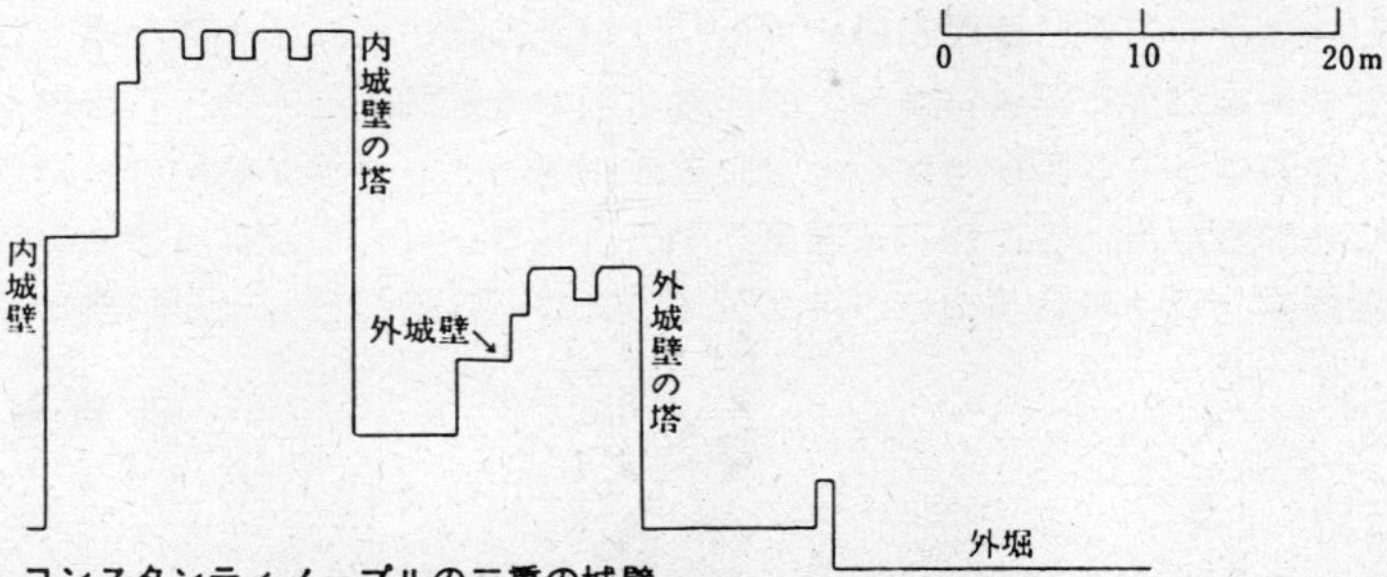

コンスタンティノープルの三重の城壁

どであった。

城塞《じようさい》都市

ロードス島の首都ロードスの城壁は、日本の戦国時代の城下町のような、純戦闘員のこもる城だけをめぐるものではない。ヨーロッパの多くの都市にならい、非戦闘員、つまり普通の市民の居住地帯まで守る目的をもった、市街地全体をぐるりと囲むつくりになっている。

市街の北の一帯には、騎士団長居城や各国の騎士館、それに病院や武器弾薬庫が集中しているので、この一帯と他をへだてる壁はあるが、これを楯《たて》に防衛するにはあまりにも貧弱な石壁で、なんとなく、プライベート・ゾーンとそうでない地区を分ける程度の役目しかしていない。だから、地中海世界では評判のロードスの城壁といえば、市街全体をめぐる城壁を指すのが常識だった。

全長は、ざっと歩いて四キロメートルにはおよぶ。ただ、戦略要所には大きく張りだした突出部があるから、それらを延べた距離となると、優に五キロは越えるであろう。この城壁は、長年の慣習という感じで、聖ヨハネ騎士団を構成する八つの軍団が、それぞれ一定の区域の城壁を分担していた。平時の整備補強と戦時の防衛ともに、責任を負うと決められていたのである。(巻末の図参照)

北からはじめると、まず、商港の入口を固めるド・ナイヤックの要塞からはじまり、軍港の船着場の前を通って騎士団長居城の北辺をめぐり、南に少しさがったところにあるダンボアーズ門までの八百メートルにおよぶ城壁は、イル・ド・フランス出身者の集まるフランス騎士隊が受けもつ。三代前の騎士団長ダンボアーズが補強させたので、それでこの名で呼ばれるダンボアーズ門は、陸地側に開けられたただ二つの門の一つである。また、門といってもこれだけで要塞の役目が充分にできるほど、堅固で複雑なつくりになっていた。

ダンボアーズ門から聖ジョルジュの砦《とりで》までの二百メートルは、ドイツ出身の騎士たちの責任区域だ。フランス隊と比べてひどく短いようだが、それはなにも、隊の構成員の数によるのではない。海に面した低地は攻撃に適していなく、騎士団がロードス島を本拠にしてから二百年間、敵の本格的な攻撃を受けたことのない一帯だからである。反対に、ダンボアーズ門からは高地に変り、敵の攻撃にさらされる確率からすると、段ちがいに危険地帯になるのだった。

実際、城壁のつくり自体が、ダンボアーズ門を境にして変っているのが、築城技術ではまったくのしろうとのアントニオにもわかった。ダンボアーズ門までは、城壁の外側をめぐる堀《ほり》の幅も狭く、その内側に立つ城壁も、伝統的なつくり方に忠実に、垂直に高くそびえ立つ型だ。城壁の上の通路に立って眺《なが》めると、もし敵が布陣していたとしても、はるか眼下に望むようになるだろう。ただ、城の役目の中には近づく者に脅威を感じさせることもふくまれているから、その点では、一段高くそびえる騎士団長居城を頂上としたこの一帯の城壁は、充分に役目は果しているのだった。とくに、海から近づく者には、威圧感を与えずにはおかなかったであろう。

ダンボアーズ門を境に、城壁の様相は少しずつ変ってくる。まだこのあたりは壁も高く、胸間城壁と呼ばれる城壁上のギザギザが小きざみだ。弓か石弓を用いての防衛には適しているが、大砲をすえることなど不可能な狭さである。城壁の厚みも薄く、四メートルほどしかない。堀だけは深く、幅も広い。ダンボアーズ門と外側の地表を、堀に渡した三つのアーチでささえられた石の橋が、結んでいる。

ほぼ直線に南に向ってのびる長い城壁の中頃《なかごろ》に、まるで八角形の半分を切りとってとりつけた感じで、聖ジョルジュ砦がある。この大きく突きだしている砦からスペイン（アラゴン）砦までの三百メートルの城壁は、オーヴェルニュ隊の担当区域になっている。このあたりともなると、城壁の厚みは、優に十メートルを越えるが、高さのほうはぐんと低目に変る。胸間城壁も大きざみになり、小型の大砲ならば充分に配置可能になってくる。直線につづく城壁の面からは、さらにもう一つの砦が突出しており、正面からの攻撃だけでなく、スペイン砦とともに左右からはさむ感じで、わきからの敵もフォローできるつくりだ。

スペイン砦からはじまってイギリス砦にいたるまでの二百メートルあまりの城壁は、アラゴン隊の騎士たちの担当区域になっている。このあたりの堀は、百メートルにおよぶ幅をもつが、その堀の中ほどに部厚なもう一つの外壁が立ちふさがっているので、二重の守りになっている。しかも、この外壁はイギリス砦とつながっていて、防衛力の増減が容易にできる仕組だ。

イギリス砦から東にほぼ直線につづくコスクィーノ砦までの四百メートルは、イギリス隊の受けもち区域である。この一帯も、百メートルはある堀の中間に、外壁が立ちふさがるつくりになっている。このあたりの城壁は、外壁に守られているとはいえ、内側に折れこんでいるアラゴン担当城壁と比べて外側に身をさらしているので、いかにイギリス砦とコスクィーノ砦が左右からフォローしようにも、直線の四百メートルは無理な話である。それで、この城壁面には合計四つの砦が張りだし、直線城壁の不利をおぎなうつくりになっている。イギリス砦からは堀を越えて橋が渡っているが、これは平時にのみ使われ、いざとなると内部にとりこめるはね橋づくりになっていた。

コスクィーノ砦から、つくらせた人物の名をとったデル・カレット砦までの五百メートルは、プロヴァンス隊の担当地域になっている。コスクィーノ砦は、堅固で頑丈《がんじょう》なつくりではダンボアーズ門に匹敵するが、それはここに、城壁外と通ずる二つの門の一つが開いているからである。プロヴァンスの騎士たちの守る城壁は、直線にはつづいていない。だが、この一帯の城壁には、円型角型あわせて合計三つの小砦が突きだしており、堀中に立ちふさがる外壁をもたない不利を完全におぎなっている。

デル・カレット砦から、商港を東から守る堤防までは、イタリア隊の担当区域になっている。城壁は四百メートルにおよび、ここも堀の中に立つ外壁との二重壁だ。しかも、デル・カレット砦のつくりとなると、完全にこれまでの築城の常識を越えていて、高々とそびえ立つのが従来の砦であれば、これはまったく反対に、低くがっしりと地上に腰をすえた印象を与える。二十世紀の今より見ても、五百年昔のものなのに、砦というよりも、バンカーと近代的に呼んだほうがふさわしいくらいである。胸間城壁も、大砲をそなえつけるのを主目的としてつくられているので、低く厚く、砲撃を浴びせられても微動だにしないのではないかとさえ思われた。

この型の砦は、当時でははじめての試みなのである。アントニオはただ感嘆するだけだったが、専門家のマルティネンゴは、低くうなったきり、しばらくは言葉もないようであった。

商港をふちどる城壁は、八百メートルを越える長さだが、カスティーリア隊の受けもち区域になっている。トルコの海軍は量では圧倒しても質では弱体なので、海上から攻撃をしかけてくる力はない。陸軍を輸送するのが、彼らの主な仕事なのである。ために、海側の防衛は、封鎖をされないかぎり問題はなかった。また、封鎖の心配も、船操縦の技術からして、まずは怖《おそ》れることはなかった。城壁も、大砲出現以前の、薄く高々とのびる型のものを残しておいても心配はなかったのである。

そのこともあって、海側の城壁を守るカスティーリア隊とフランス隊から引きぬかれた騎士たちで遊軍ができており、敵の攻撃が集中するにちがいない陸側の城壁で助勢が必要となった地帯に、随時派遣される仕組になっていた。この隊の指揮官は、騎士団長自らが勤める。聖ヨハネ騎士団の戦法では、だから、常に第一線に立つことを宿命づけられた遊軍なのであった。

その夜、騎士団長居城の最上階にある海に向った広い部屋は、天井からつりさがった鉄製の大燭台《しょくだい》のろうそくすべてに火がともされて明るく、部屋の中央にすえられた長い木製の机のまわりには、十二脚の皮の椅子《いす》が並び、坐《すわ》られるのをまつばかりになっていた。

城壁視察の間中、マルティネンゴは、自分からは意見を多くのべず、説明に聴きいるほかは質問をするだけだったが、今度は彼が話す番である。正午までつづけられた視察の後、ヴェネツィアの技師は午後中宿泊先のイタリア騎士館にこもり、多くの図面を書いてすごしたが、それらの図面はここにもってこられ、机の上に重ねられてあった。

灯《ひ》を受けて光る机の正面には、騎士団長リラダンが席を占める。マルティネンゴには、団長と向きあう席が与えられた。通訳のアントニオは、技師の左どなりの席につく。その他の席には、騎士館長七人が坐った。団長の左どなりには、カスティーリアの騎士館長であるとともに副団長でもある、騎士ダルマールが坐る。右どなりは、団長秘書官のラ・ヴァレッテの、いつもの厳しい顔があった。聖ヨハネ騎士団の最高決定機関が、一人の欠員もなく、専門家の意見を聴くわけだった。

大砲対城壁

「まったく見事な、聴きしにまさる城塞と見うけました」

一座の空気が、技師のこの一言でゆるむのが、アントニオにもわかった。マルティネンゴは、一言一言を慎重に選びながらつづける。

「とくに、敵の攻撃が予想される地帯の城壁は、最新の技術が駆使されていて見事です。われわれ築城技師たちは、もう何十年も前から提言してきたのですが、それがこれほど徹底して実現された例は、わがヴェネツィア共和国にもまだありません」

これは、常日頃ヴェネツィア共和国とはあまりよい関係にない聖ヨハネ騎士団の首脳たちの自負心をくすぐったのだが、愛国者マルティネンゴは、こうつけ加えるのも忘れなかった。

「わが共和国は多くの地を領していて、一城塞だけを考えるわけにはいかないこともあります」

それにしても、ヴェネツィアの築城技術は最先端にあるとされていて、ドイツもフランスもスペインも、ヴェネツィアの技師の招聘《しょうへい》に熱心であった時代である。その中の一人、しかも有力な一人が折り紙をつけてくれたのだから、騎士たちが喜色をあらわにしたのも無理はなかった。トルコの大軍来襲が目前の現実になりつつある今、六百の騎士を中心にする数千の防衛軍で迎え撃つには、城壁だけが頼りであったからである。

一四五三年のコンスタンティノープルの陥落は、東も西も問わず、社会的軍事的に大きな変革を強《し》いる端緒となった歴史的事件だが、この種の変革は、時代を画すほどのものであるだけに、ただちに翌年明白な反応となって返ってくるというわけにはいかない。改革の必要を痛感した人は、事件の直後にさえ幾人かはいる。だが、ただちにそれを現実に移すのは、その人が、絶対的な権威と権力をもった専制君主でもなければ不可能なことなのである。

コンスタンティノープルの攻防戦を決した要因の第一が、トルコのスルタン・マホメッド二世の大砲の活用にあったことは、当時でも多くの人が気づいた事実である。この戦いのわずか二年後に、シエナ出身のイタリアの築城技術家によって、大砲時代に即した築城技術を論じた専門書が出版されている。レオナルド・ダ・ヴィンチも、十五世紀の末に、大砲による攻撃を頭においた城塞の設計をしているし、建築家一族として有名なサンガッロ一家も、いくつもの試案を発表している。それでいて、実際にこの型の城塞が建てられるまでに半世紀を要したのには、いくつかの原因があった。

第一に、コンスタンティノープルを陥《お》として以後のトルコ帝国の軍事攻勢の主力が、彼らの海軍力の弱体もあって、しばらくは北方の陸地に向けられていたということである。南のエーゲ海域は、この間、トルコの脅威を身ぢかに感じないでいられたのであった。

第二は、そのトルコと対決することになった西欧キリスト教勢力の中で、最前線に立つことになったヴェネツィアが、共和政体をとる国であったことにある。まして、共和制は専制政体とちがって、提案を決定にもっていくまでに時間がかかるものだ。大砲時代に即した築城技術をもって、ヴェネツィアが当時領有していたアドリア海からエーゲ海にいたる多くの基地の城塞を改造するなどという大事業は、膨大な財源を、しかも長期にわたって必要とする事業である。一委員会の決議ではとても動かせない、国議として決定するたぐいの方向転換なのであった。これをするためには、少数の人が目覚めるだけでは不充分で、政策決定にたずさわる人々のうちの少なくとも過半数が、この大事業の必要性を納得しなければできない。だが、その他多勢というのは、しばしば、危険が目前に迫らないかぎり、目覚めようとしないものなのである。

ために、ヴェネツィアの築城技術が決定的な方向転換をするのは、十五世紀も末になってからである。この時期からヴェネツィアは、イタリアの他の国々出身の技術者でも招聘し、それによって自国の技術の向上に、積極的に努めるようになる。その成果がまず試されたのは、トルコとは「国境」を接する、キプロスとクレタの島の城塞だった。

東地中海域ではヴェネツィアとともに対トルコの最前線にあったロードス島の聖ヨハネ騎士団では、事情は少しちがっていた。

騎士団の守らねばならない領地は、ヴェネツィアのように広くも多くもない。ロードス島の他《ほか》は、周辺の三、四の小島しかない。それに、共和政体でもなかった。騎士団長以下十人足らずの最高委員会が、すべての決定権をもっていたからである。また、騎士団長一人の決意が、そのまま政策決定につながる場合も少なくなかった。元首《ドージェ》が二千票のうちの一票しかもたないヴェネツィアに比べれば、よほど「小まわり」のきく組織であったのだ。

それでもなお、改革は容易には進まなかった。トルコ軍が、ただちにロードスに的《まと》をしぼらなかった事情もある。危険が身におよばないかぎり目覚めないのは、騎士たちとて同じだった。

事実、一四八〇年になってマホメッド二世が突如大軍を送ってきたときのロードスの城壁は、比較的薄手の壁が直線に高くそそり立つ型で、胸間城壁も射手一人で守る狭さ、直線につらなる城壁には塔が要所をしめるという、コンスタンティノープルの城壁を典型とする、大砲以前の城壁だったのである。これでも防衛に成功したのは、スルタン臨席の戦闘でなく、ために諸将が失策の責任をかぶるのを怖れて消極戦法に終始したことと、トルコ軍中を襲った疫病《えきびょう》のおかげなのだ。このままの城壁で今後も心配ないとは、騎士道精神の権化《ごんげ》を自認する、フランス人の騎士さえも思わないことであった。

ロードスの城壁補強は、この勝利に酔わなかったドブッソン、ダンボアーズの二人の騎士団長によって、戦い終了直後からはじめられる。聖ヨハネ騎士団では、新設でも補強でも、それをさせた騎士団長の紋章をきざむのがならいだが、ドブッソン、ダンボアーズの紋章があちこちに見られる。

しかし、彼ら二人の熱意はそれなりに痕跡《こんせき》を残したが、補強以上には出なかった。従来の城塞の概念から、どうしても脱皮できなかったのであろう。たしかにロードスの城壁は堅固になったが、やはり、中世の城の面影《おもかげ》の濃く残るものだった。それを一変させるには、当時では最も現実的な民族であった、イタリア人をまたねばならなかったのかもしれない。

ファブリツィオ・デル・カレットが騎士団長であった期間は、一五一三年から二一年までの八年間である。就任直後から城壁の根本的な改革をもくろんでいたらしいことは、今に残る数枚の覚え書が証明してくれるが、それが本格的に着手できたのは、就任後五年が経《た》ってからだった。おそらくこの五年間は、財源の確保に費やされたのであろう。ヴェネツィアに残る建設費用の決算書を見ても、城塞建設という事業は、当時でも眼《め》をむくほどの費用を必要としたのである。

デル・カレット騎士団長は、ヴェネツィアでも高名であった築城技師バジリオ・デッラ・スコラを、文字どおり三顧の礼をつくして招聘する。その頃は、聖ヨハネ騎士団に対してトルコも攻撃の意図を明らさまにしていない時期だったので、トルコとは何度目かの友好関係にあったヴェネツィアも、自国の優秀な技師の派遣に神経を使う必要はなかった。ヴェネツィア共和国は、外交上の問題さえなければ、この型の「技術援助」に寛容であった国である。それで、技師スコラも、白昼堂々ロードス島に到着でき、そこに三年間とどまった。

技師スコラの改造案は、まったく革命的なものだった。この図面を示されたフランス人の騎士の少なくない数が、こんなみっともない城壁では闘う気になれないと、騎士団長デル・カレットに抗議したほどである。

なにしろ、コンスタンティノープルの城壁に代表される従来のものが、地表より高々とそびえ立つ型の城壁であったのに反し、スコラの考えたものは、建てるよりも、掘ると言ったほうが当っていた。これまではなるべく高いところから低い地表に布陣する敵に対していたものが、防衛側も攻撃側も、ほぼ同じ高さに対置するように変る。両者をへだてる堀も、以前のよりもぐっと深く広く変った。つまり、どんなに砲撃を浴びようとも、しぶとく地表にへばりついているという感じなのである。この改革が最も大胆に実行されたのは、敵の攻勢が集中されること必至の、陸側の城壁だった。軍港と商港に面した北と北東の城壁は、ほとんど手を加えないで残された。トルコが仮想敵国である以上、現状のままで防衛可能と判断されたからである。

技師スコラは、旧城壁を根本から破壊するようなことはしなかった。城壁の高さをけずり、この作業によって生じた土砂や石材を活用して、それらにさらに新石材を加え、城壁の厚みをぐんと増したのである。西と南側にいたっては、城壁の上の通行可能な道幅は、十メートルに達する。世界最強と語り草になっていたコンスタンティノープルの内城壁さえ、五メートルしかなかったのである。だが、それでもスコラは満足しなかった。十メートル以上もある厚い城壁の内側に、さらにささえの壁をつけさせる。これは、城壁の上から下に向って斜面になって降りる石壁で、これで内側から城壁をささえるのである。城壁にそって下に降りる石の階段のつけられた箇所をのぞけば、オーヴェルニュ、アラゴン、イギリス、プロヴァンス、イタリア各隊の防衛する城壁は、すべてこの方式で内側から補強された。

いかにも中世の塔という感じの高くそびえ立つ塔も、破壊はされなかった。ただこれも、低くけずられ、戦略的に重要な位置にあるものは、石材で頑丈に補強された。

胸間城壁をイタリア語では、メルリ（レース）と呼ぶが、それは城壁の上に、まるでレースのふちどりのように、ギザギザがつらなっているからである。だが、この中世風のつくりも、スコラにかかると、直訳すると大レースとしか訳しようのない「メルローニ」、つまり大胸間城壁に変えられる。残されたのは、改革の必要なしと判断された地帯だけだった。「メルローニ」に変える利点は、砲撃を喰《く》らっても木端微塵《こっぱみじん》ということにはなりにくいからである。

また、堀の幅がぐんと広くなるアラゴン、イギリス、イタリア各隊の担当城壁の前には、堀の中にもう一つ、外壁にあたる石壁をつくらせた。敵に遠すぎては、安全ではあっても敵に被害を与えるには不向きなのだ。まずこの外壁で防衛して、形勢不利となれば内壁にたてこもる。外壁にはそれぞれ、もよりの砦《とりで》との間に連絡路がつけられた。スペイン城壁前の外壁からは、イギリス砦に逃げこめるようになっていたし、イギリス城壁前の外壁を守る兵は、いざとなればイギリス砦かコスクィーノ砦に後退し、そこから内城壁の防衛にまわればよい。イタリア隊の守る城壁前の外壁は、デル・カレット砦と通じていた。

堀の深さも、敵の布陣が予想される城壁外の地表からさえ、二十メートルはある深さまで掘られ、幅も、外壁からさえ二十メートルはある。これだけあれば、人海作戦をとるトルコ軍でも、簡単には埋め立てができないはずだった。コンスタンティノープルの堀も、幅は二十メートルはあったが、深さは一メートルしかなかった。それで、埋められてしまったのだ。とはいえ、堀の幅を際限なく広くするのも、戦略上有利ではない。敵を射程距離外に放置して安心していては、戦闘にならない。長びく籠城《ろうじょう》は、地つづきのところに味方をもたない騎士団としては、なんとしても避けたいことだった。

ロードスの堀は、海水をひき入れることができなかった。海面が低すぎるのである。それでも水で満たそうと掘りさげたりすれば、市街への侵入の危険が生れるのだった。

しかし、技師スコラの改造の最も大きな特徴は、軍隊用語ならば稜堡《しゅんほう》と呼ばれる、城壁面から大きく突出した箇所であろう。

私はこれまで、この稜堡を砦と訳してきたが、これは完全な意訳である。稜堡は城壁面から独立していないのに反し、砦は、辞書によれば、本城から離れて構えた小規模の築城、であるからだ。

だが、稜堡というと、あまりにも現代的なひびきを与える。攻防戦の話を進めていくのにも、イギリス稜堡とか聖ジョルジュ稜堡とか書くのは、十六世紀初頭の話をしているのになんともそぐわない。また、拙著『コンスタンティノープルの陥落』では「塔」としたが、後述する理由で、コンスタンティノープルの稜堡とロードスのそれは、性質が大変にちがうのである。

また、ロードスの「稜堡」は、ほとんど砦的な働きをするのだ。これを陥《お》とさないかぎり、城壁は陥ちなかったのである。だから、延々とつづく城壁の要所要所を「砦」が固めていた、とでも思っていただきたい。

つまり、コンスタンティノープルの城壁では、四十メートルおきに高い四角形の塔が並んでいたが、ロードスではそれを廃し、代わりに、各隊の分担区域に一つずつ、大砦をぐっと張り出すつくりに変えたのである。コンスタンティノープル攻防戦での塔の役割りは、ただ高く四角く固めているというだけで、塔が防衛の要《かなめ》にはなっていなかった。城壁と塔の防衛上のちがいは、塔のほうが高く四角に張り出した横の二面を活用できるということだけだった。実際は、塔が要という考えがなかったので、横の二面の活用すらあまりしなかったのである。

反対にロードスでは、多角形で張り出している「砦」は、完全に防衛の要をなしている。ために、各隊は一つずつ、それをもつ。実際に攻防戦がはじまるや、各隊の指揮官、ロードスでは各騎士館の長だが、彼らがそれぞれの「砦」にたてこもって指揮をとった。隊旗も、常に砦上にひるがえる。

しかし、砦ひとつでは、短いところで二百メートル、長くなると四百メートルを越える城壁全域の防衛を、フォローすることは不可能である。それで、ほぼ百メートルの間隔で、小型の砦を配置することにした。それも、四角形ではフォローできる方向がかぎられるので、多角か丸型になっている。

これらの改革は、少数の兵で大軍に立ち向わねばならない聖ヨハネ騎士団の不利をおぎなうのに適しているとして、採用されたのにちがいない。とはいえ、これ以後百年の西欧の築城技術の歴史は、この「稜堡」の進歩の歴史と言い換えてもよいくらいなのである。ファブリツィオ・デル・カレットは、十六世紀初頭では望みうる最高の水準の、城塞《じょうさい》を残して死んだのであった。

技師マルティネンゴは、専門家の立場からロードスの城塞について解説した後で、次のように言った。

「大砲の攻撃に対処するだけならば、ロードスの城壁は完璧《かんぺき》と言ってもよいと思います。ここに持参した図面に示された箇所だけの整備で、充分でしょう。

ただ、トルコは、地雷を使ってくるにちがいない。コンスタンティノープルでも使おうとしたが、あの頃はまだ、坑道掘りに長じた技術者が軍にいませんでした。だが、今では、これ専門の隊さえ常備しています」

マルティネンゴも、技師スコラが、地雷対策を怠《おこた》っていたと言っているのではなかった。スコラは、すでに、これにも手を打っていたのを同業だけにすぐにわかり、舌を巻いたというのが本音だ。

堀をぐんと深くしたということ自体、城壁の下に通じる坑道を掘る敵兵の作業を困難にするためだったし、本城壁のすぐ内側の地表に、一メートルほどの深さのみぞをめぐらせている。これは、地下を掘ってくる敵の作業を、こちら側にいて、工事の音で判断できるようにするためだった。敵の工事が城壁のどの地点を目指しているかさえ的確に判断できれば、ただちにその方角に向って、こちら側からも坑道を掘る。そしてうまくぶつかりさえすれば、撃退は簡単だった。坑道ごと、爆破すればよい。トルコ軍は、気づかれた坑道を、二度と再び掘りなおそうとはしなかった。

マルティネンゴの提言は、だから、この点でも整備の域をでなかった。地下のみぞは一メートルでは不充分だからもう少し深く掘りさげる必要があることと、みぞの上を屋根のように板でおおう必要を説いただけである。今のようにみぞの上が開いたままでは、敵の砲撃開始とともに降ってくる土砂や石塊《いしくれ》によって早晩埋もれてしまって、みぞをめぐらせた意図が活《い》かせないという理由からだった。

騎士団長をはじめとする聖ヨハネ騎士団の首脳たちは、ヴェネツィアの技師の提言を全面的に受けいれ、整備の工事は、さっそく翌日からはじめることも決めた。工事の総指揮は、マルティネンゴにゆだねられた。工事が必要とする人員も材料も費用も、マルティネンゴの要求どおりに与えられると決まる。城壁に関しては、この「赤い血」が、白紙委任状を与えられたのであった。ヴェネツィア人の技師は、それに感謝の言葉をのべた後で、しかし、こう言った。

「いかに難攻不落の城でも、時間は常に攻撃側の味方です」

　聖ヨハネ騎士団が、この面での対策を講じていなかったわけではない。スルタン・スレイマン一世からの宣戦布告がとどいた直後に、援軍派遣を要請した特使を、ローマ法王庁、フランス王、スペイン王にそれぞれ送っているのである。だが、西欧も、キリスト教国連合の「十字軍」を送りだすには、時代が変っていた。

　一四五三年のコンスタンティノープル攻防戦は、戦争が歴史を変える好例である。大砲活用によって以後の築城技術、つまり戦法全般に改革を強《し》いたことと、大軍投入によって、大君主国時代への移行を強いるという、歴史的変革をともなった戦争であった。一五二二年のロードス島攻防戦は、この二面とも、七十年前に起ったことから生じた影響を、全面的に受けるかたちで行われる、最初の戦争になるのである。ただ、ヨーロッパでは、この南の島で起りつつあることに気づいた者は少なかった。

ローマの騎士

あの夜以来、アントニオ・デル・カレットは、通訳の仕事から解放されていた。城壁の整備のような具体的作業は、それがはじまれば複雑な意志を通じ合う必要はなくなる。マルティネンゴのヴェネトなまりのイタリア語と、クレタ滞在中に習いおぼえた大雑把《おおざっぱ》なギリシア語と、生半可《なまはんか》なドイツ語にフランス語でも、作業の進行にはまったく支障はないのだった。

かといって、新参騎士がロードス島到着と同時に直面させられる、「海賊行」にも参加できない。騎士団は、近づくトルコの攻勢にそなえて一隻《せき》の無駄《むだ》も許されないとして、少し前からトルコ船襲撃を中止していたからである。聖ヨハネ騎士団の旗をかかげた船は、朝には港を出、夕べには港に帰ってきたが、それは周辺海域の監視のためだった。トルコ船の姿もこのところ、あまり見られない。水平線上に戦雲がたなびきはじめるのに敏感なのは、イスラム教徒でも同じだった。

しかし、ロードス島そのものは、喧噪《けんそう》と言ってもよいほどの活気にあふれていた。商港には、食糧や弾薬を満載した傭《やと》い船《ぶね》が、一日に何隻となく入港する。軍港では、軍船の整備のためのつち音が、日没まで絶えなかった。陸側でも、居住民のロードスの男たちが動員されて、城壁の整備作業が進行中だ。マルティネンゴが技術家として充実した日々をおくっている のは、彼がイタリア騎士館にもどるや、死んだように眠りこむことが証明していた。

騎士団の首脳陣も、解決まちの問題をかかえて連日忙しい日々をすごしていたが、役職をもたない若い騎士たちには、週に一日の病院勤務をのぞけば、肉体をしばる仕事はさしてない。甲冑《かっちゅう》や武器の手入れは、それぞれ生国からつれてきている従僕《じゅうぼく》がやってくれる。この期間を利用して剣や石弓の術にみがきをかける騎士が多い中に、オルシーニの姿が見えないのが、アントニオの興味をそそった。

はじめて騎士団長に会いに騎士団長居城に行った朝、中庭に降りる階段で会って以来、あのローマの若い騎士には会っていなかったのである。あのとき、遊びに来たまえと言った彼の言葉を思いだしたアントニオは、とかくかんばしくない評判のこの男を、訪ねてみようと思いたった。

ジャンバッティスタ・オルシーニの住まいを探しあてるのは、ロードスにきてまだ間もないアントニオにとって、予想外の困難事になった。騎士館の外に住まうことを認められている古参騎士も、各国の騎士館が集中している地域に家を借りている者が多いのだが、オルシーニだけはそこに住んでいない。探しあぐねた末にたどりついた先は、市街の中でもそこからは最も遠い、イタリア隊守備の城壁と商港にはさまれた一画だった。そのあたりは、ロードス生れのギリシア人も住んでいない。商売のためにロードスに滞在するイタリア人や、地中海世界ならば必ずどこにでもいる、ユダヤ人の住みついた一帯だった。

家は、緑の影も濃い中庭つきの、小ぶりだが快適なロードス風の家で、ロードス特有のさわやかな微風《そよかぜ》が、家のどこにいても肌《はだ》に優しくふれる。扉《とびら》を開けてくれたのは、イタリア騎士館でアントニオも会ったことのある、オルシーニがローマの北にある領地からつれてきたという、無口だが実直そうな老僕だった。

中庭からは石の階段が、細い円柱の優雅にささえる二階の回廊に通じている。ローマの若い騎士は、その円柱の一つに身体《からだ》をもたせかけた姿で待っていた。今日は、銀色に輝く甲冑姿ではない。白麻のゆったりしたシャツは胸もとの結びひもも解かれたまま、黒の細身のタイツの中に無造作に押しこまれている。オルシーニのこのくつろいだ応対に、アントニオは、なぜか気分がゆらぐのを、不機嫌《ふきげん》な想《おも》いで押さえつけねばならなかった。

ローマの騎士は、客人に、回廊に置かれてある椅子《いす》の一つを示した。坐《すわ》れ、という意味らしかった。そして、自分は、それまで横になっていたらしいトルコ風の低い長椅子に、脚をのばして横坐りに坐った。上体はクッションにささえられ、脚だけ長々とのばしたその坐り方は、アントニオに、イタリアの地でよく見たエトルスク時代の墓棺の彫像を思い出させた。

「お偉方たちからは解放されたと聴いたが、退屈はしないでいるのかな」

アントニオは思わず微笑してしまったが、オルシーニは、それを答えと受けとったらしかった。その時、アントニオの背後で、低い楽の音のようなギリシア語が聴こえた。振りかえった彼は、そこに、ロードス島では誰《だれ》もが好むレモン水に蜂蜜《はちみつ》をとかした飲物の入った壺《つぼ》をもって、一人の女が立っているのを見た。これが、とかくの評判の原因であったのだ。偶然に来あわせた女かそれともその家にいる女か、アントニオにだってわかる。貞潔、服従、清貧を誓った宗教騎士団の騎士が、女と住んでいては問題になるのも当然だった。

騎士たちの誰もが、この誓願を厳守していたわけではない。厳守されていると言えるのは服従だけで、清貧は、西欧の高名な貴族の子弟の集まる聖ヨハネ騎士団では、ロードス島の現在の生活ぶりが清貧なのであった。西欧にいる兄や弟たちの、王の宮廷や自領の城での日常に比べれば、たしかにロードスでの騎士の生活は、彼らにしてみれば立派に清貧の名に値したのである。また、女も、妻帯こそ禁じられていたが、秘《ひそ》かに通じるのは黙認されていた。ただ、それも秘かにであって、公然と女と同棲《どうせい》するなどは、他の騎士は誰一人しないことだった。

オルシーニの家に住む女は、ロードス生れのギリシア商人の妻で、夫は数年前にコンスタンティノープルに向ったきり、消息が知れないという話だった。オルシーニとの関係が人の噂《うわさ》にのぼりはじめたのは、二年前からである。夫の家族はそういう女をひどく恥じ、女はそれ以来、ギリシア人の住む地域に住めなくなったという。このような話をアントニオは、後日彼の従僕からの話で知ったのだ。従僕たちの間では、噂は早く広まるらしかった。

女は、黒く波うつ豊かな髪をうなじのところでまとめ、はっきりした顔立ちは、イタリアの女とはちがって、優しさよりは強さが感じられた。だが、壺から銀の杯に飲物をつぐ際に見せたほっそりした身体のかたむかせようは、はっとするほど典雅だった。立居振舞も、卑《ひ》下《げ》もしてなく粗野でもなく、ごく自然に自分の居場所を知って振舞う人のそれで、ほのかな微笑で客に接するのが、困惑気味だったアントニオを救った。若い女ではない。二十五歳と聴いたオルシーニと同じくらいか、それとももう少し上かもしれなかった。たしかなのは、男と女のこれくらい無理がなく自然な組み合わせを、アントニオは今までに見たことがないということだった。当初のとまどいの気分が眼《め》にみえて薄れていくのを、アントニオは、甘美な快感とともに感じていた。

二度目からは、若者は、従僕をつれずに行くようになった。オルシーニとは、部屋の中で話すこともあったが、最初の訪問のときのように、夕闇《ゆうやみ》があたりをおおうまで、回廊ですごすことが多かった。季節は、夏に入ろうとしている。ギリシアの女は、いつ訪れても必ずいた。家の外に出るのは、オルシーニの従僕の仕事らしかった。

同じイタリア生れだけに、また属す階級も同じだけに、二人の若者の間では無邪気な話題にこと欠かなかったが、三度目の訪問のときだったか、オルシーニがふと、アントニオにじっと視線をあてながら、こんなことを聞いてきたことがある。

「きみは、西欧から援軍が来ると思っているのか」

アントニオは答えられなかった。イタリア騎士館では誰もが、援軍がすでにヨーロッパの港を発《た》ってでもいるかのような話しかされなかったのだが、彼自身は、漠然《ばくぜん》とした不安を捨てきれないでいたのである。

「援軍は来ない。西欧は、この南の島に助けを送れるような状態にないからだ。われわれは、見捨てられたままで闘うしかない」

アントニオは、言葉もなかった。そんな彼を、ほとんど優しいとでもいうしかない眼で見つめた後で、ローマの騎士は、中庭にそびえる糸杉《いとすぎ》のいただきに眼をやりながらつづけた。

「ここにいると、ロードスの商港から、情報がじかに入ってくる。商港から騎士団長居城を通ってその後でわれわれにもたらされるものではない情報が、じかに伝わってくるのだ。

聖ヨハネ騎士団は法王の認可を受けた正式の宗教団体だから、われわれは、ローマの法王の直接の管轄《かんかつ》下にある。援軍の派遣を要請するのも、まずローマ法王の許《もと》に騎士団からの使節が行き、それを受けた法王が諸王侯に親書を送って参加を説き、王侯たちが各自提供した兵が法王の旗の下に集まって、このロードスに送られてくるというのが本筋だ。異教徒撃破を目的とする十字軍は、常にこのような手続きで編成されてきたのだからね。いかに一人の王が十字軍精神に燃え、実際に軍を送ってくる力があっても、法王が認めなければ、十字軍としては実行することはできない。普通の領国防衛と、そこがちがうところだ。

ところで、きみも知っていると思うが、法王レオーネ十世は、昨年の十二月はじめに急死した。四十五歳の死では誰もが予測できなかったろうから、このメディチ家出身の法王の急死でヴァティカン中があわてふためいたというのも事実だろう。枢機卿《すうきけい》たちも、次期法王を誰にするかの予備工作をまるでしていなかったので、一カ月以上もすぎてやっと、新法王を選出する枢機卿会議《コンクラーベ》の召集にこぎつけたという。

だが、予備工作ができていなかったことによる弊害は、法王選出に必要な条件である三分の二の票を獲得できた枢機卿がいない。そんなとき誰かが苦しまぎれに、遠方にいて会議に間にあわず欠席した枢機卿の名でもあげたのだろう。あれならば学者だし、清廉《せいれん》潔白なる人物であるとか言って。ライヴァルを法王にするくらいなら誰でもかまわぬと思っていた両派の枢機卿たちの票が、この外国人にいっせいに流れたのは、イタリア人の協調性のなさを知る者には、想像するにむずかしくはない。こうして、われわれ全カトリック教徒は、皇帝カルロスの家庭教師をしていたということくらいしかわかっていないオランダ人の法王をもつことになった。

ところが、新法王は、任地であったスペインの地でこの知らせを受けるや、ただちにローマへ発つことができなかった。おかげで、今年の二月にはじめて公式に受理宣言をしたというのに、いまだにスペインにとどまったままだ。受理宣言をしたときに、自分が法王となるカトリック教会は、ルター派の運動への対処と、対イスラムの十字軍結成のためのキリスト教諸国の統一を、二大課題とするとも宣言したのだが、法王の三重冠を頭上にするまでは、彼はまだ公式には法王ではない。戴冠《たいかん》式は、ローマの聖ピエトロ大寺院で行われる。それまでは、法王庁は、空席のままでいくしかない。つまり、なにもできない状態がつづくわけだ。なにしろ、西欧では、新法王がスペインからどの道を通ってローマへ行くかが、問題になっているという。

神聖ローマ帝国皇帝カルロスは、少年時代の家庭教師の栄進を領民あげて祝いたいという名目で、自領スペインから海路、これまた自領のネーデルランド地方へ向い、そこから自領ドイツを通ってイタリアへ入る道を、推《すす》めたということである。とはいっても、皇帝の真意は、険悪な間柄《あいだがら》のフランス王の領土内を新法王に通らせたりすると、当然の礼儀として王が会おうとするから、そのような新法王とフランス王を親密にしかねない機会を、ライヴァルに与えたくないということだろう。

イギリスのヘンリー八世も、スペインから海路イギリスへ寄り、そこからネーデルランド地方へ渡ることを勧めた使節を、新法王の許に送ったという。もちろん、フランス王フランソワ一世は、フランスを通る道を勧める。

その中で、新法王は、皇帝やイギリス王やフランス王の好意にそむかず、かといってそのうちの一人の機嫌も損わないですむ道筋ということで、スペインから海路ジェノヴァへ向い、そこからまたも海路をとってローマの外港オスティアに着く道に決めはしたらしい。だが、まだ発ってはいない。海軍などない法王庁が、いまだに迎えの船を出せないでいるからだ。

この状態では、カトリック教会はいつ、主《あるじ》をもてるかさえわからない。

しかし、もしもローマに、異教徒壊滅を心から念ずる法王が存在したとして、情況は変っていたときみは思うかね」

「思いません。現在のローマ法王庁は、誰が主になろうとも、二年前のルター破門から公然と動きだしたルター派への対応策が、なによりも重要課題とされると思うからです」

「そうだ。ローマ法王にとって、これだけは解決を後まわしにすることは許されない。プロテスタントと呼ばれているルターの一派の勢力がまだ浸透していない国々でも、聖職者も一般民衆も動揺している。わたしのような皮肉屋が法王になっても、まず直面せざるをえないのはこの課題だろう。異教徒トルコへの対策など、どうしたって二の次になる。

しかも、われわれは、ヨーロッパにおける諸勢力の再編成期にぶつかるという、不運まで背おいこんでしまった。

つい先頃《さきごろ》まで、ヨーロッパは、アラゴンとカスティーリアの両君主の結婚で統合が本決まりになりつつあるスペインと、ヨーロッパでは最も中央集権化の進んでいるフランス、それに、大陸への野心をつぶされたおかげでかえって国内統一がうまく進んでいるイギリス、選挙侯たちの勢力がそれぞれに強く、そのために神聖ローマ帝国皇帝という諸国の王の上に立つ人物をもちながら、中央集権化に遅れをとっているドイツ、そして、ミラノ、ヴェネツィア、フィレンツェ、法王庁、ナポリと、分裂したままのイタリア。これらの国々の間で、均衡といえないながらも均衡以外に適当な表現方法がないという、奇妙な状態をつづけていたのだ。

それが少しずつ変りはじめ、今まさに、決定的に変ろうとしている。

この変化は、まず、東のトルコの動きに刺激されて起った。コンスタンティノープル陥落によるビザンチン帝国の滅亡は、トルコ民族に、旧ビザンチン帝国領全域に対する「継承」の、大義名分を与えることになった。これを十二分に活用したトルコは、今では、北はウィーンに迫り、東はチグリス・ユーフラテス河を越えてペルシアと接し、南は紅海を囲み、西は、エジプトからアルジェリアまでの北アフリカ全域を領する、大帝国に成長している。

この東の大攻勢に対するには、西欧も、大国主義によって対抗するしかない。そのように時代の要求が固まりはじめていたときに、うまい具合にという感じで、カルロスの登場が重なった。

六年前の一五一六年、母方の祖父であるスペイン王フェルディナンドが死んで、カルロスはスペイン王に即位する。カルロスはその年までにすでに、父親、つまり神聖ローマ帝国皇帝の嫡子《ちゃくし》フィリップが早死していたので、その父よりネーデルランド地方を継承していたから、ネーデルランドも領するスペイン王になったわけだ。だが、これで終りではなかった。三年前の一五一九年、神聖ローマ帝国皇帝マクシミリアンも死んだのだ。これによって、ハプスブルグ家直系のカルロスは、ドイツ、オーストリアも統治することになった。

神聖ローマ帝国皇帝としてはカール五世、新大陸もふくめたスペイン王としては、カルロス一世の誕生だ。一五〇〇年生れだから、今年二十二歳。この大帝国が彼の死で瓦解《がかい》するのを期待しようにも、よほど運命の女神が意地悪でもないかぎり実現しない。トルコの現スルタン・スレイマンも二十八歳だから、こちらのほうも死は望み薄だ。

そのうえ、ハプスブルグに左右からはさまれて、警戒心をますます強めているフランスも、主は二十代の若者だ。一五一五年に二十一歳で即位したのだから、フランス王フランソワ一世は、今年、スレイマンと同年の二十八歳。そして、イギリス王ヘンリー八世、三十一歳。しかも、カルロス、スレイマン、フランソワ、ヘンリーとも、いずれも若いだけではなくて、まことに英邁《えいまい》な君主ときている。これでは、ヨーロッパの諸勢力の再編成が、今からますます決定的な勢いでなされると想像しても、相当な確率で当るとわたしは思う。

現に、カルロスとフランソワの対決は、イタリアを舞台にしてすでにはじまっている。ナポリから南のイタリアはスペイン領と化したが、ミラノを中心とした北イタリア領有を、両者で争っているわけだ。フィレンツェ共和国も、フランスの傘《かさ》の下で形ばかりの独立を保っている状態。この情況下で実質的にも独立国であるのは、イタリアではヴェネツィア共和国だけになってしまった。ヴェネツィアも、イタリア内でのこのような情勢に対処しなければならない以上、東地中海ではなるべくトルコとことを起さないように努め、そのためにロードスを見殺しにしようとも、彼らにしてみればやむをえない選択なのだろう。

これが、われわれが生をうけた世界、ヨーロッパの鳥瞰図《ちょうかんず》なのだ。この現状で、聖ヨハネ騎士団を助け異教徒を征伐しようと提唱したとして、誰がこの南の島にまで遠征してくるだろうか。イタリアを舞台にしてくり広げられている戦闘では、スペイン、フランス両軍合わせれば五万の兵が動員されても、その十分の一の兵を送ってくることとさえ、王たちは考えない。われわれは、彼らと同じ年代に属しながら、成行きを左右できる彼らとちがって、孤軍奮闘の末、この南の島で死ぬしかない」

一カ月後、アントニオは海に出ていた。

ギリシアの海

アントニオは、騎士団長から、聖ヨハネ騎士団領する近辺の島々の城塞の最後の点検を命じられた一団に、加えられたからである。五人の騎士からなる一行の団長格は、ジャンバッティスタ・オルシーニだった。アントニオは、自分はオルシーニの推挙で加えられたのだろうと思った。

一行を乗せた快速ガレー船は、ロードスの軍港を出てすぐ、舵《かじ》を西にとる。しばらくすると、船は北西に向きを変えた。このあたりの海は、まことにエーゲ海（多島海）の名にふさわしく、島影が水平線上に消えたと思うまに、次の島が眼前に迫ってくる。ロードスから百キロ以上もきたところで、騎士団領の最北の島、レロス島が近づいてきた。

レロスの城塞には、五人の騎士が常駐している。ロードスからの一行の役割りは、この五人と二十人ばかりのギリシア人の兵を、武器弾薬とともにこの島から引きあげさせ、五十キロほど南にあるコス島に移すことだった。レロスはもともと、コンスタンティノープルから南下してくるトルコ船団を見つけ次第、島から島を伝わるのろしによってコス島まで知らせるのを任務としていたから、城塞自体も敵の大軍の攻撃に耐えられるほど堅固でない。それで、騎士団首脳としては、コス島の守りを固めたほうが有利と判断したのである。

オルシーニやアントニオが乗った船は、移転作業が終るのをまたず、一足先にコス島に向った。コスはレロスよりよほど大きな島だが、この島の守りもロードス同様、島の端にある港に接した城塞に集中している。このコス島の港から対岸に迫る小アジアの西端までは、わずか十キロの距離しかない。だが、この十キロの間に横たわる海こそ、コンスタンティノープルからエジプトやシリアへ向う船が、よほどの大船でもないかぎり、絶対に通らざるをえない海峡なのだった。

これほどの価値ある海峡だけに、聖ヨハネ騎士団は百年も前から、対岸のほんの一部とはいえ、コスと向い合う小アジアの地を手中にしている。コスの港からは二十キロ離れてはいるが、このあたりでは最良港のボドルムに、堅固な城塞を築いていた。ボドルムとコスの間の海を航行するイスラムの船は、小船団ならば、この二港に駐屯《ちゆうとん》中の船だけで始末がつけられたのである。大船団の場合は、コスから島づたいの連絡で、獲物接近の知らせはロードスにもたらされる。ロードス近海までも無傷で通過できた船団は、大艦隊の護衛つきででもなければありえなかった。

一五一七年にエジプトを征服し、東地中海を自国の内海と思うトルコにしてみれば、自分の家の庭の中に、小さいが猛毒をもつ蛇《へび》の群れがひそむ巣を、もつ想《おも》いであったにちがいない。

コスでの仕事を終えた一行は、ボドルムへ向った。騎士団にとっては小アジアとは地つづきの唯一《ゆいいつ》の基地であるボドルムには、このあたりでは最強の城塞があるだけではなく、出撃用のガレー軍船が何隻《せき》も待機できる、造船所つきの港も完備している。ボドルムこそ、ロードスに次ぐ、聖ヨハネ騎士団の基地なのである。なぜならこの基地には、トルコ船襲撃という理由のほかに、もう一つ、ボドルムでなければできない理由があった。トルコ人に捕われ、小アジアの各地で奴隷《どれい》生活を強《し》いられていたキリスト教徒が、運に恵まれて逃亡に成功することもまれではなかったのだが、その人々が逃げこむ先が、ボドルムだったのである。聖ヨハネ騎士団は、これらの逃げこんできたキリスト教徒を保護し、ひとまずロードス島に送った後、最終的には西欧へ送り返すという、宗教騎士団としては重要な任務も遂行していた。

ボドルムへ向いつつある船の船橋で、偶然に二人だけになった機会をとらえて、アントニオはひさかたぶりにオルシーニに話しかける気になった。それまでは、城代たちとの会合で忙しく、個人的なおしゃべりなどできる雰囲気《ふんいき》ではなかったからである。オルシーニその人も、微風《そよかぜ》の吹きすぎる彼の家の回廊で見せた、憂愁をたたえて話をした人とは同じと思えないほど、てきぱきと指令を与えるのが似合う指揮官に変っていた。これを言ったアントニオに、ローマの若い騎士は、苦笑いを浮べながら答えた。

「人間には誰にも、自らの死を犬死と思わないで死ぬ権利がある。そして、そう思わせるのは、上にある者の義務でもある」

その夜の食事の後、再び二人きりになれる機会があった。今度はオルシーニが、城壁の上の散歩に行かないか、とアントニオを誘ったのである。

ボドルムの城塞は港の入口に突き出た形に築かれているので、眼前の夜の闇に沈むのは海だけだ。わきのほうの海面には、漁船の灯《ひ》が、あるものはゆっくりと移動し、あるものはとまって見えた。海面は、油を流したように動かない。風は、城壁の上に登るとやはり感じる。前方はるか彼方《かなた》には、小さな灯がかたまってまたたいている。コスの灯であろう。灯の合図でもすれば、判読できそうだった。

二人は、城塞を固める塔の一つ、通称イギリス人の砦《とりで》と呼ばれる塔の上に登った。ボドルムの守りは、イギリス出身の騎士たちが受けもつのが慣習になっている。アントニオは、先ほどから頭を占めている想いを、まだもてあそんでいた。そのために、隣りに立つオルシーニの存在まで、一時にしても忘れたほどだった。

アントニオは、今朝方後にしてきたコス島が、医学の祖とされるヒポクラテスの生地であり、今自分が立つボドルムが、歴史の祖とされるヘロドトスの生地であることを考えていたのである。ボドルムは古代、ハリカルナッソスと呼ばれていた。ハリカルナッソスから少し北へ向えば、ミレトスがあり、さらに北へ行けばエフェソスがある。そして、なおも北上をつづければ、トロイの古戦場にも行きつくのだ。トロイの少し手前、眼を海に向ければ、古代の抒情《じよじよう》詩人たちの島、レスボス島が浮んでいるはずだった。

若者は、古代ギリシアの世界に遊んでいたのである。それで、オルシーニの声によってわれにもどったとき、二千年をむりやり引きもどされでもしたかのような淡い不快感をおぼえた。アントニオはオルシーニを愛していたが、友のこの方面への無関心だけは、不満に思っていたのである。

「トルコ軍は、コンスタンティノープルを発った後、ボスフォロス海峡を渡ってアジアに入る。そこから、ブルサを通った後小アジアを南下して、スミルナに来るだろう。スミルナからさらに南下をつづけて、マルマンリスに着き、ロードスとは五十キロの海をへだてるだけのマルマンリスを、本格的な前線基地にするだろう。マルマンリスの港は、入りくんだ湾の奥に位置していて、われわれの快速船でも攻撃は不可能だからだ。

一方、兵をロードスに運ぶ輸送船が主体のトルコ海軍は、コンスタンティノープルを出港した後はダーダネルス海峡を通って、エーゲ海に出る。そして、小アジアの沿岸を南下し、この前の海を通ってマルマンリスへ入るだろう。スルタンが自ら軍を率いるとすれば、彼自身は海路をとるかもしれない。船旅のほうが楽だからね。いずれにしても、この前の狭い海を大艦隊が通過するのだから、五隻程度の軍船では、待ったをかけようにも蹴散《けち》らされるだけだ。

トルコ軍も、ロードス攻略を前にして、小基地攻略のために時間をつぶすようなまねはしないだろう。コス島もこのボドルムも、無視して通りすぎるだろう。ロードスが陥《お》ちれば、小さな基地をいくら守りぬいたとて、意味はない。だから、コスやボドルムに守備兵力を置いておくことなど無駄《むだ》なのだ。ロードス防衛に、一兵でも一弾丸でもよけいに欲しい場合なのだから。これらの小基地の城塞は、全部引き払うべきだった」

アントニオは、それをなぜ団長に進言しなかったのかと聞いた。

「もちろん、進言はしたさ。だが、団長はこう答えた。

——先輩たちが長年死守してきた島々に、なにもしないでイスラムの旗をかかげさせるわけにはいかない——

だが、わたしの考えを完全にしりぞけたのではない。ロードス以外の各基地を守る騎士たちには、団長の命令がとどいたときは、ただちに城塞を捨て、ロードスの防衛に馳《は》せ参じるよう伝えられた。騎士道精神あふれるフランス人の騎士たちでも、攻防戦がはじまって二カ月もすれば、三十人足らずの援軍でも貴重に感ずるようになるだろう」

びっくりしたアントニオは、攻防戦は二カ月もつづくのだろうか、とたずねた。オルシーニは答えた。

「二カ月ですめば、われわれには喜ばしい結果で終るだろうが、そうはいかないと思う」

静かな口調だったので、風下にいなかったら、すぐそばのアントニオにも聴こえなかったほど、それは沈んだ声音だった。

東へ

それから二日後の朝早く、騎士たちを乗せたガレー船は、ボドルムをも後にしていた。コス島のわきを通りぬけてロードス島の前の海も通過し、さらに東に百キロ行った海に浮ぶ、カスの島に向うためである。そこにある城塞が、騎士団領有の最東端基地にあたるのだった。つまり、レロスからそのカスまでの海が、聖ヨハネ騎士団が制海権を保有している海域なのである。

船尾にある船橋から眺《なが》めると、古《いにしえ》のハリカルナッソスは、今まさに朝の光の中に、くっきりとその姿をあらわしつつあった。

港のすぐ上の丘に、半円型の劇場跡が見える。扇型に開いた観客席の石の階段が、海に向ってきざまれていた。ギリシア時代につくられたものか、それともその後のローマ時代の建造か。いずれにしてもあの時代、地中海世界の中でこの一帯は、あらゆる意味で栄えていたのである。アントニオは、かつてはこのあたりがイオニア地方と呼ばれ、哲学の発生の地であったことも思い出していた。小舟でも容易に行き来できたにちがいない狭い一帯、今では朝の光の中に静かに沈んでいる街々が、かつては地中海の「市場」と呼ばれたこともあり、文明の先進地帯であったことが、若者には信じられないように思えるのだった。

古代をさまよっていた若者は、いつのまにか船橋にもどっていたオルシーニが、船橋を囲む格子《こうし》窓《まど》の向うから自分のほうを見ているのに、そのときになって気がついた。ローマの若い騎士は、アントニオの五歳年下の同僚に向けている。アントニオの胸中を見すかしでもしたかのように、皮肉っぽい笑いをたたえた眼を、この五歳年下の同僚に向けている。アントニオは、このときもまた、オルシーニと共有できないものがあることに、軽い不満を感じるのだった。だが、ローマの騎士は、若者の表情にわずかにあらわれたそれさえ感じとったらしい。すぐさま友の心を、自分に引きよせることに着手した。

「これから行くカスの島は、言ってみれば、聖ヨハネ騎士団の牢獄《ろうごく》なのさ。罪を犯したり、騎士団の規律に反したりした者は、ここに島流しにされる。牢獄はないが、この小さななにもない島の城塞での勤務が、罰というわけだ。

わたしも一度送られたが、いっこうに改悛《かいしゅん》の気が見えないのに団長もあきれはてて、半年もしないうちに呼びもどしてくれた。今いる者たちも、規律に反するくらいだから愉快な連中だ」

アントニオも思わず笑い声をたてたが、彼だって知っている。オルシーニがロードスにもどれたのは、いっこうに改悛の気が見えないのに、騎士団長があきれはてたからではない。ジャンバッティスタ・オルシーニは、その当時のローマ法王であったレオーネ十世とは、法王の母がオルシーニ家出身であるところから縁つづきの間柄《あいだがら》だった。レオーネと同じ、もう一人のメディチ家出身のジュリオは、枢機卿《すうきけい》であるとともに、聖ヨハネ騎士団の騎士でもある。一度も修道院生活をおくったこともなく、一度もイスラム教徒と剣を交じえたことのない騎士だったが、このメディチ枢機卿から、法王の意をくんで書いたという親書がとどいては、騎士団長とておろそかにはできない。島流しは一年のはずだったが、半年もしないうちに呼びもどされたのである。

しかし、オルシーニは、悪い面でばかり問題になる騎士ではなかった。優れた才能は、いつでもどこにいても、遅かれ早かれ認められずに終ることはない。とくに聖ヨハネ騎士団は、常時臨戦体制にある。この状態では、認められ登用される機会も、平時よりは早く、また多く訪れる。今度の点検の責任者に彼が任命されたのも、そのうちの一例にすぎなかった。

カスの島は、まったくこれ以上敵地に近づくのは不可能と思われるほど、小アジアの南岸に接して位置していた。対岸とは、五キロと離れていないのではないか。ひとにぎりしかないこの島の港から眺めると、対岸に散る灯が数えられるくらいだった。

　この島にオルシーニがもたらした騎士団長の命令は、総員引きあげである。対岸の敵地といってもこれまたほんのひとにぎりの村で、制海権確保という使命があるとしても、二十人もの騎士をこの島に置くのは、島流しの意図でもなければ無意味だったからである。この頃ではトルコ船の影も見えず、退屈をもてあましていた騎士たちはロードスにもどれるのに大喜びで、引きあげ作業はまたたくまに終了した。あとは、ロードスにもどるだけである。基地点検の任務も、ここが最後だった。

　島を離れたガレー船は、舵を真西にとった。だが、ポネンテ（西風）が強く、帆と櫂《かい》兼用の快速船も、快速どころか、左右ジグザグをくりかえしながら前進するしかない。こういう場合では、三本の帆柱に張られた三角帆の向きをしじゅう変えなければならないので、船乗りたちはその操作に忙しく、指揮する艦長も船橋で休んでなどいられない。それで、アントニオは、オルシーニと二人だけでいられる時間を多くもてたのであった。

滅びゆく階級

アントニオ・デル・カレットとジャンバッティスタ・オルシーニは、ごく薄いにしても、血のつながりがあるといえないこともない。オルシーニ家はメディチ家と縁戚《えんせき》関係にあるが、そのメディチ家の娘マッダレーナは、四代前の法王インノチェンツォ八世の甥《おい》フランチェスケット・チボーと結婚していた。マッダレーナは、フィレンツェ共和国の事実上の君主であった高名なロレンツォ・イル・マニーフィコの娘で、前法王レオーネ十世の妹にあたる。

法王インノチェンツォ八世には、フランチェスケットの他《ほか》にもう一人姪《めい》がいたが、そのテオドリーナは、ジェノヴァの富豪ヴゾディマーレと結婚した。その結婚から生れた子の一人ペレッタが、アルフォンソ・デル・カレットに嫁《とつ》いだのである。つまり、アントニオの母であった。だから、オルシーニとアントニオは、十五世紀末のイタリアに君臨した家系のうちの二つ、メディチとチボーを通じて、縁つづきといえないこともない関係にあったのである。

だが、それをオルシーニに言ったら、ローマの若い騎士は大笑いし、しばらく笑いがとまらないふうだった。

「これを縁つづきと言うなら、オルシーニなど、少しは名のある全ヨーロッパの家系と縁つづきにあると言わなくてはならなくなる」

それでも、気分を害された顔つきのアントニオをなぐさめでもするかのように、つけ加えた。

「きみには、われわれの家系がとってきた縁組政策が、これからも以前と同じ意味をもちつづけられると思えるかね。わたしには、思えない。これまでは、縁つづきの網を張りめぐらすことによって、われわれの家の独立を保つという意味と効用が存在した。だが、これからはちがう。縁組政策はあいかわらずつづけられるだろうが、それはもはや、われわれの家のような家系が、大国の君主の下でかろうじて存続していくための、生存対策でしかなくなるだろう。

カレット家が侯爵《こうしゃく》になったのは、つい最近のことではなかったかな」

「父アルフォンソが、神聖ローマ帝国皇帝マクシミリアン一世より、侯爵位を授けられました」

「オルシーニは、数ある分家があちこちの伯爵や侯爵になっているが、本家はまだ、バローネとかシニョーレ（主《あるじ》）としか呼ばれていない。宮廷貴族の列に、まだ加えられないですんでいるということだ。だが、これも、時間の問題だろう」

（筆者注、この話より三十八年後に、オルシーニ本家は公爵《プリンチペ》位を授けられる）

アントニオも、強大な勢力をふるったオルシーニ家の歴史は知っている。イタリアで最も有名な家柄をあげるとすれば五指に入るだけでなく、もしかしたら一、二を争うことになるかもしれないオルシーニ家を前にしては、カレット家などものの数ではないのだった。

ローマを代表する貴族は、十二世紀このかたオルシーニとコロンナで、ローマの南に領地をもつコロンナと、ローマより北に広がる地域を地盤とするオルシーニは、ことごとにぶつかるのでも有名であった。十三世紀にグェルフィ（法王派）とギベリーニ（皇帝派）の争いが起れば、オルシーニはグェルフィ、コロンナはギベリーニと、これまた敵対関係に立つ。

法王も出したことのあるこの二つの有力な家系との関係は、歴代の法王を悩ます第一の問題でもあった。両家ともヨーロッパ中の有力な家と縁戚関係を結ぶのに伝統的に熱心だったから、名もない家の出身であったり外国人であったりする法王は、この両家とどう対するかに、神経を使わざるをえなかったのである。

商人出身のメディチ家が、経済力に加えて「名」を欲しくなったとき、長男の嫁をオルシーニから迎えている。なにしろ、オルシーニとコロンナを名のる枢機卿が一人もいない時期はまずないのが、ローマ法王庁なのである。これは、法王は出していなくても、法王予備軍は常にいるということなのだった。ローマの法王の特殊な権力からも、西欧の王侯さえもこの両家との縁組を歓迎した。唯一の例外はヴェネツィア共和国の貴族だったが、それはヴェネツィアが、自国の独立維持のためには、他国の有力者の血が混じらないほうが有利と判断したからである。

オルシーニ、コロンナ両家は、ヨーロッパ中の有力家系との縁組政策と法王庁内に網を張る政策にかけては、両家ともたがいに甲乙つけがたい成果をあげていたが、宗教騎士団への浸透となると、オルシーニのほうが運に恵まれていた。

オルシーニが聖ヨハネ騎士団に一家の男たちを送りはじめた頃から、コロンナはテンプル騎士団と近くなっていたのだが、十四世紀初頭のこの騎士団の消滅は、コロンナのこの方面への勢力浸透策もつぶしてしまう。それ以後宗教騎士団といえる組織は聖ヨハネ騎士団だけになってしまい、それにはすでに、オルシーニ一族が深く根をおろしていた。オルシーニは、十五世紀後半に、騎士団長を出している。

オルシーニ家の各方面への浸透は、これでもまだ終らない。一族の男たちの多くは、傭兵《ようへい》隊長として、イタリアをはじめとする西欧諸国の軍にまでくいこんでいた。ただ、当時の傭兵制度は、隊長が自前の部下をひきつれて一隊としてまとまった形で傭兵契約をするのが決まりであったから、オルシーニ一族の中でもこれを業とするのは、小さな領地をもって半ば独立している分家筋に多い。彼らはもはやオルシーニとは名のらず、チューリの伯爵とかピッティリアーノの伯爵とか、領地の名で呼ばれるのが常だった。本家の主が傭兵隊長になれば、これはもうオルシーニが一家をあげて、傭《やと》い主《ぬし》である法王庁なりヴェネツィアなりナポリ王なりと結ぶということになり、政治的意味をもたないではすまなかったが、分家筋がするなら神経はあまり使う必要はない。それで契約締結も破棄もよほど自由だったから、傭う側にも好都合で、また傭われる側の利点も少なくなかったのである。傭兵業が立派な営利事業として通用した時代でもあった。この種の勢力浸透はコロンナ一族も活用していて、この方面でも、両家はライヴァル関係でありつづけたのである。

ただ、これほどに強大であったオルシーニの努力にも、かげりの見えた時期があった。ローマ法王の座に、法王の権力をより強くしようと決意した男が坐《すわ》った時期である。オルシーニもコロンナも広大な領土を有していても、それは法王庁国家内にあるのである。ボルジア家出身の法王アレッサンドロ六世は、法王の権力を強くするにはこれらの勝手気ままな行動をする豪族を一掃するしかないと判断し、それを実行に移す立場に、息子のチェーザレをすえた。これがまた並はずれた才能の持主であったから、豪族たちにすれば、悪運が重なったことになる。この時期は、さすがのオルシーニ一族も、壊滅寸前の状態だった。一族の主な男たちの二人までが死刑、オルシーニ出身の枢機卿は、牢獄生活を我慢しなければならなかった。ロードス島に騎士となって来ているジャンバッティスタも、ボルジアの軍に包囲された城の中で生れ、その後も数年、亡命生活の中で幼年時代をおくったのである。

しかし、一五〇三年のボルジアの急激な没落は、オルシーニ一族にも、息を吹きかえす機会となった。次の法王ジュリオ二世の娘とオルシーニ家の男子の結婚によって、オルシーニはふたたび、法王庁への浸透力と影響力の回復に成功する。そして、その後につづいた法王レオーネ十世は、メディチ家に嫁いでいたクラリーチェ・オルシーニが産んだ子の一人だった。

このような事情は衆知のことで、ジェノヴァ近くの海辺の城で育ったアントニオでも知っている。それだけになお、日の没することなき感じのオルシーニの直系にあるジャンバッティスタの周辺にただよう憂愁が、いわれなきものに思えてしかたがないのだった。ローマの若い騎士は、そんなアントニオの疑問にひと笑いした後で、年少の弟にでも説き聞かせるように話しだした。

「ヴェネツィアやフィレンツェの支配階級を構成する都市貴族は、別だ。彼らは、ノーヴィレ（尊い人）とは呼ばれるが称号はない。反対に土地所有が基盤の貴族《ノーヴィレ》は、デュカ（公爵）、マルケーゼ（侯爵）、コンテ（伯爵）、バローネ（男爵）などに分れる。この称号の源泉は、ローマ帝国滅亡後に西欧を支配した、ビザンチン帝国皇帝やその他の西欧の王たちに発している。

当初はラテン語式に発音されてドゥクスと呼ばれていたが、イタリア語ではデュカとは、皇帝や王の第一の官僚であって、領国内の区域別の行政や軍事を担当する、いわば地方長官を指す名称だった。それがフランク族の支配下になると、同じ仕事でもより小さな区域を担当する長を、コンテと呼ぶようになる。また、辺境の地域の長官は、辺境《マルカ》を守る者という意味で、マルケーゼと呼ばれた。

ただ、語源からすれば「自由な男」という意味をもつバローネだけは、皇帝や王の臣下であったがために得た、称号ではない。自前の領地をもち、そこでは年貢《ねんぐ》徴収の権利も司法権も有し、貨幣鋳造の権利まで有した者もいる。年貢も、バローネが徴収したものの一部を、その地方の名目上の主である、皇帝や王や君主に収めればよかった。

イタリアに話をかぎれば、ロンゴバルド族の支配がおよんでいた北イタリアと中部イタリアには、コンテやマルケーゼが多いが、そうでない南イタリアでは、バローネの天下が長くつづいたのである。デル・カレット家は侯爵だが、オルシーニ本家はバローネだ。分家にはコンテがたくさんいるがね。それでも十四世紀までは、北伊南伊の別なく、バローネは他の宮廷貴族とは別格の立場を維持していて、君主は貧乏だが、その下であるはずの男爵たちは金持という状態が珍らしくなかった。

君主が戦争をしたいときは、領国内のバローネを召集することはできた。だが、これも命令はできなかったのだ。あくまでも対等の人間同士の、契約で成りたつ関係だった。君主がその契約に違反した場合は、バローネは戦線から離脱する権利はもちろんのこと、君主に対して戦いをいどむことも当然とされた。

南イタリアではこの状態が、十四世紀以降もしばらくつづく。当時の領国内の最高の権威と権力を有する機関は、バローネたちが集まる会議で、年に二回開かれるのが普通だった。そこで議長をつとめる君主《プリンチペ》は、一段と優れた者とか最も権力をもつ者とかではなく、ただ単に、同等者中の第一人者《プリンチペ》、でしかなかったのだ。その頃のバローネたちの君主への誓言なるものが残っているが、それは愉快なものさ。

——われわれバローネは、われわれの一人一人があなたと同じ価値をもっており、われわれが集まれば、あなたより大きな価値をもつことは必定《ひつじょう》。ゆえに、われわれはあなたに対して忠誠を誓うが、それも、われわれの権利とこれまで享受《きょうじゅ》してきた特権をあなたが尊重してくれればのことであって、もしもそれが果されない場合は、忠誠の誓いもなかったことになるが、それも必定――

この誓言を君主の前で全員で大声をあげて唱和したというのだから、封建君主もおだやかというわけにはいかなかったであろう。強力な中央集権型の支配体制樹立をめざす君主からすれば、無政府状態と映ったのも当然だ。

しかし、少しずつ、南イタリアでもバローネの力をそぐ動きが活潑《かっぱつ》になる。それに気づいたバローネたちも、防御体制を固める。両者がはっきりと衝突したのが、「バローネの反乱」として有名な、一四六〇年のナポリ王フェランテと領国内のバローネたちの戦争だった。勝ったのは、フェランテだ。あの戦いでは、オルシーニの分家の一つも、相当な打撃を受けた中に入っていた。もうあんな愉快な誓いも、大声で唱和できない世の中になったのだ。中央集権化の波は、どこにいようと避けられない動きなのだろう。

ただ、ローマだけは、少しばかり事情がちがう。他の国の君主は世襲だが、ローマの法王は一代かぎりだからだ。君主は変るが、バローネは変らないというわけさ。

しかし、法王庁国家の特殊な事情が幸いして、これからもオルシーニやコロンナのような豪族が、ローマやローマの近辺で勢力を保持していけたとしても、どれほどの意味があるのだろうか。コロンナ家の男たちは、もうすでにカルロスの臣下も同然だ。傭兵隊長も一人の君主に長く仕えれば、臣下にならないほうが不思議なのだから。われわれの家も、この大国主義の時代の波に抗しきれず、どこかの大君主の臣下になって貴族の称号を与えられ、名ばかり残ったわずかな領地を守らざるをえなくなるだろう。かつての「自由な男《バローネ》」は消滅し、オルシーニの名は、宮廷貴族の列のどこかに配属されて、生きのびることになるのだろう。

歩兵集団の台頭によって、騎士の地位も失われつつある。大砲の出現によって、戦いのしかたまで変ってしまった。住民を外敵から守る役目を果すことによって、彼らから敬意を払われ、領地を支配する権利をもっていたバローネも、その役目を君主に奪われては、もはや領主づらをしつづけることはできない。どうやらわれわれは、貴族の血筋でなければ入団を認めない聖ヨハネ騎士団の騎士であることと、領主としての資格を失いつつある貴族であることの両面から、消えつつある階級の最後に生きるという、不運を背おってしまったようだ。

そういうわれわれが、人海作戦と大砲で強大になったトルコ軍と闘うのだから、皮肉でなくてなんだろう。滅びゆく階級は、常に、新たに台頭してくる階級と闘って、破れ去るものなのだ」


アントニオは、現実にむりやりに直面させられた気分だった。デル・カレット家も、オルシーニほどではないにしても、四百年も昔からジェノヴァ近くのサヴォーナの地に、自らかち得た領土をもつ領主だったのである。それが、百年ほど前から近隣の大国の争いに無縁でいられなくなり、ミラノ公国の主《あるじ》スフォルツァ家に近づいてみたり、ときにはジェノヴァ共和国と同盟関係にあったりしたが、ついに三十年前、旗色を明らかにしなければ存亡を問われるまでの状態になってしまった。アントニオの父のアルフォンソが、ドイツの神聖ローマ帝国皇帝の臣下につらなり、侯爵の称号を与えられたのはそのときである。

アントニオはふと、貴族の血はもちろんのこと、異教徒に対する聖ヨハネ騎士団の存在理由を疑ってもみない、フランスの騎士ラ・ヴァレッテの強い目差《まなざ》しがうらやましくなった。

アントニオとオルシーニを乗せた快速ガレー船は、帰途も終りまぢかとなって櫂《こ》ぎ手《て》も勢いづいたのであろう。西の水平線に姿をあらわしたロードス島が、ぐんぐんと大きさを増す。この船は、アントニオも聴いて知っているリンドスの神殿跡を望む頃には、舵《かじ》を北にきった。このままロードス島の沿岸を航行して首都の港に入るのが、東からくる船の常の航路になっている。リンドスの丘の上に白く輝く古代ギリシアの円柱の下には、騎士団の城塞があるが、そこで勤務することは自分にはもうなさそうだと思いながら、アントニオはそれを見あげるのだった。

ロードスの港に入る直前で、再び方向を変えた船の上から、街の後方に煙があがっているのが見えた。よほど広い地域が焼けているのか、煙は空の半ばまでおおっている。なにごとかと思ったアントニオは、かたわらに立つオルシーニの言葉で安心がいった。敵の来襲にそなえて、城壁の外側の、野や畑や家までも燃やしているのだという。一本の樹木も残さないほどに、敵軍が布陣するにちがいない地域全体を、裸にしておく必要があった。

「ひばりが巣をなくして、あわてているだろう」

オルシーニの口から出たこの言葉は、アントニオを微笑させた。季節は、六月に入っている。戦闘は、春から秋までの間に行われるのがならいだから、騎士団長のもとには、トルコ軍の決定的な動きを伝える情報がとどいているにちがいなかった。

第五章　一五二二年・夏

戦雲迫る

いつもは、商いの論理を優先させるとして騎士団から非難されることの多かったジェノヴァやヴェネツィアの商人たちも、こうもはっきりとイスラム対キリスト教の対決を眼《め》の前にすると、自らの宗教の側を応援しないではすまない気分になってくる。それは、彼らがカトリック教徒であることを自覚することによって西欧の人間であることも思い出すからであって、同じくキリスト教徒でも、ギリシア正教を信ずるギリシア人やアルメニア人からは、このような変化を期待することはできなかった。プロテスタントも冷淡であることでは変りはなかったが、ドイツやオランダの商人はまだ地中海では登場していない。それで、聖ヨハネ騎士団への情報提供者というと、カトリック教徒である西欧の交易商人ということになるのだった。

常日頃《つねひごろ》、宗教のちがいには関係なく交易しているこの人々は、東地中海に戦雲がたなびくたびに船をとめていては商売にならない。自分の国が戦争の当事者にでもならないかぎり、彼らの船はトルコの港に寄港し、彼らの支店をあずかるその地の代理人たちも、通常の商務をつづけて誰《だれ》も不思議に思わなかった。ヴェネツィア共和国のような、独自の高度な情報収集能力をそなえた機関を一度としてもったことのない聖ヨハネ騎士団だったが、トルコとの対決が迫るたびに、この種の情報にはこと欠かないでいられたのである。宗教を前面にかかげた、騎士団であることの利点の一つでもあった。騎士団は、これらの西欧の商人たちによって、スパイをわざわざ放たなくても、トルコ軍の規模や動向を相当にくわしく知ることができたのである。

トルコ帝国の首都コンスタンティノープル（イスタンブル）前の海上に、ロードス攻略のためのトルコ海軍の集結が終ったのは、一五二二年六月一日だった。一説には七百隻《せき》の船とされているが、西欧の商人たちのもたらした情報では、三百隻余りとなっている。従来のトルコ海軍の規模から推測しても、三百隻のほうが現実的な数字であったろう。

艦隊は、海賊の首領コルトグルが率いて、ロードスへ向う。通商の伝統のないトルコ民族が、ために海軍の組織力を欠いていて、本格的な戦いともなると、指揮官に海賊の首領をすえるのが常だった。コルトグルは、三百隻の船に一万の兵を乗せて、マルモラ海をダーダネルス海峡へと向う。一船あたりの乗員の数が少ないのは、大砲やその他の攻城兵器を運ぶのが、この艦隊の第一の目的であったからである。

陸軍は、ボスフォロス海峡のアジア側に、同じ時期に集結を終る。その数、十万。バルカン地方から徴集された、トルコ支配下のギリシア正教徒からなる、坑夫たちの一隊が目立った。スルタンは、この陸を行く兵たちと行軍をともにする。スルタンには、パシャの尊称をもつ大臣たちが、全員つき従う。トルコの宮廷が、こぞって参戦するわけだった。

だが、敵軍はこれだけではない。五年前の征服でトルコの支配下に入ったシリアとエジプトからも、二百隻の船と十万の兵が追って戦線に参加することになっていた。四十年前の攻略時の、二倍以上の戦力になる。大トルコ帝国からすれば豆粒にもひとしいロードスを攻めるのに、これほどの大戦力を動員するとは、二十八歳のスルタン・スレイマンの、この戦いにかける意気ごみを感じさせずにはおかなかった。「キリストの蛇《へび》たちのねぐら」は、大帝国トルコの体面からして、この機に絶対に一掃さるべきだったのである。

六月一日にコンスタンティノープルを後にしたトルコ艦隊は、ダーダネルス海峡を通ってエーゲ海にぬけた後は、レスボス島にひとまず立ちよって、補給物資を積みこむ。ここからロードスまでの海域では、さすがのトルコも大艦隊を寄港させられる港はスミルナしかなく、そのスミルナのすぐ近くの海には、中立を宣言しているとはいえ、西欧ジェノヴァが領するキオス島があった。

スミルナからのびる小アジアの陸地とキオス島の間は、海といっても十キロしか離れていない。その狭い海面を埋めるようにして、三百隻のトルコ艦隊は一挙に通りすぎる。キオスは、島中が鳴りをひそめている感じだった。

この海域をすぎると、聖ヨハネ騎士団が制海権を手中にしている海に入る。だが、トルコ側も、騎士団領有の島々の戦力を知っている。一隻一隻の海戦能力では劣っても、三百となれば別なのだ。海賊コルトグルは、それを試してみたかったのか、スルタンの作戦にはなかったコス島攻略をこころみた。だが、城塞《じょうさい》にこもる騎士たちの応戦が激しく、陥《お》とすのも簡単にいきそうでなかったので、包囲はほどなく解かれた。艦隊は、南下を再開する。トルコ艦隊の前衛に属す船がロードス前の海上に姿を見せたのは、六月の二十六日であった。

艦隊と同時に出陣した陸を行く兵たちのほうも、マルマンリスの港に主力が到着するまでに、一カ月も要しなかった。小アジアの西岸を南下するのだ。自国領内を通過するわけだから、住民との摩擦を心配する必要はない。主要路からはずれた半島の端にあるボドルムは、まるで無視したかのように相手にしなかった。ボドルムにある騎士団の城塞を攻撃するなど、時間と兵力の無駄《むだ》だった。ロードスさえ陥とせば、コスもボドルムも自然に陥ちるのである。スルタンが同行しているだけに、作戦は細部まで厳密に遂行された。十万の軍は、ほとんど無事故で、マルマンリスの港に再集結を終えたのである。あとは、大砲や攻城器や武器弾薬をロードスに上陸させた艦隊が、今度は兵を運びにあらわれるのを待つだけだった。

迎え撃つ側の聖ヨハネ騎士団も、無駄をしなかった。北西の方角からロードス島に近づいたトルコ艦隊が、ロードスの港の前を迂回《うかい》して、島にそって五キロほど南下したところにある砂浜に、多量の大砲や攻城器を上陸させている間も、騎士たちは妨害行動を起さなかった。敵は、船乗りまでふくめたとしても、一万の兵力をもっている。一方、ロードスの城塞都市を防衛する戦力は、

騎士、六百人足らず
傭兵《ようへい》、一千五百人余り
ロードス島民で参戦可能な者、三千

これだけが期待できる数である。一兵の無駄も許されなかった。

兵器や天幕や当座の兵糧《ひょうろう》の上陸を無事終えたトルコ艦隊が、次いでマルマンリスとロードスの間を往復し、兵力の輸送をはじめた段階でも、騎士団側からの妨害は行われなかった。三百隻は、なんといっても大軍である。敵に海側からの封鎖だけはさせまいと思えば、一隻の損失にも慎重にならざるをえないのだった。

こうして、北西風が強さを増す七月いっぱい、人間の腕ほどの太さの鉄であんだ鎖が、軍港と商港の入口をそれぞれ封じた外側の海を、兵を満載して行き来するトルコ船を眺《なが》めなが

ら、ロードスの街は、確実に近づいてくる籠城戦《ろうじよう》にそなえて、それへの準備に忙殺される日日をすごしたのである。

アントニオには、籠城戦もはじめてなら、トルコ軍と闘うのもはじめての経験だった。まずもって、市内の住民が倍にふくれあがったのではないかと驚いた。実際に二倍に増えたわけではなかったが、道や広場を歩きまわる人の数が以前よりは多い。それで二倍に増えたように見えたのである。だが、人間の絶対数も増えてはいた。戦略上の理由で家も畑も焼かれた近郊の農民たちが、市内に避難してきたからである。彼らとともに、家畜の羊やにわとり、犬までも避難してきたから、城塞都市の南半分を占める一般住民の居住区の喧噪《けんそう》ぶりは、まるで市《いち》の開かれる祭りの当日のようだった。

走りまわる裸足《はだし》の子供たちや犬やにわとりだけを見ていると、迫りくる籠城戦が嘘《うそ》のように感じられる。さすがに騎士団の建物の集中している北半分までは、これらの騒ぎはおよんでこなかったが、騎士たちの地域と一般住民の地域をへだてる薄い石壁に開かれたいくつかの門は、昼間は開いたままが普通だ。ときに羊が迷いこんできたり、それを追って入ってきた貧しい身なりの子供が、行き来する騎士たちから好奇心もあらわな眼を離せないでいる様子は、アントニオに微笑を浮べさせないではおかなかった。最大規模の異教徒に攻められようとしているのに、人間はなかなか、日常の生活を変えられないものなのであろう。自分の人生が二十歳で終るかもしれないと思うこの頃、アントニオには、これらの情景が救いだった。任務の合い間に、彼はしばしば、住民居住地帯にある教会を訪れた。祈るためではない。これらの教会は、ギリシア正教やカトリックの区別なく、こうした農民たちの仮りの住まいにあてられていたからである。

しかし、夜ともなると、緊迫した空気が支配する。騎士団地区と一般住民地区をへだてる壁の門はすべて閉じられ、各騎士館前と病院、武器庫、それに団長居城前は、たいまつの灯《あか》りで照らされていて、不審な者は、影さえもわかる仕組だ。夜間外出禁止の命令が出ている一般住民地区では、建物の石壁に刳《く》られた中に安置する聖像にささげられた常夜燈《じょうやとう》のほかは、道を照らすものとてない暗闇《くらやみ》。そこを、二十人ほどの兵からなる巡視隊が、ときおり通過する。いつもならば夜遅くまで灯《ひ》のもれる居酒屋も、日没とともに店をしまうよう命令が出てから、はや二十日がすぎていた。

騎士団長は、六カ月前に送った救援を乞《こ》う使節が、いっこうに朗報をもたらさないままに、再び西欧へ使節を派遣していた。スペイン人の騎士には、ローマの法王と皇帝カルロスを、フランス人の騎士には、フランス王を説得する役目が与えられる。また、あと二人の騎士は、全西欧に散在する聖ヨハネ騎士団の騎士たちに向けられた、本拠地の危機を報じての総動員令をたずさえ、さらに、できるだけ多くの武器弾薬に兵糧を調達し、ロードスに輸送する任務が与えられた。使節に任ぜられた騎士たちは、それぞれ行き先別に、小型だが快速のガレー船で出発する。真夜中の出港だったが、トルコ船にはばまれた船はなかった。

だが、西欧は、一五二二年の夏を、次のようにすごしていたのである。

ローマ法王は、ローマの聖ピエトロ大寺院での戴冠《たいかん》式に向うため、西地中海を航行中だった。

その年の一月九日に法王に選出された新法王アドリアーノ六世が、スペインを発《た》ったのは七月八日である。七月十七日には、ジェノヴァに寄港。ローマの外港オスティアに到着するのが、八月の二十八日。聖ピエトロ大寺院での戴冠式は、八月の三十一日になってから行われた。これで、少なくとも新法王は、皇帝カルロスやフランス王フランソワ一世、イギリス王ヘンリー八世らの「好意」を、彼らの機嫌《きげん》を損わずに拒否しながら、ローマに着くことができたわけだった。

だが、それがために、新法王の施政方針演説ともいえる枢機卿《すうきけい》会議での宣言がなされるのは、九月に入ってからになる。法王アドリアーノ六世が、これだけは解決を期すと宣言したことは、二つあった。
一、トルコの攻勢に立ち向うのを目的とした、全キリスト教国の連合体制の確立。
二、ドイツを中心として起っている、プロテスタント運動への直接な対処。
新法王は、キリスト教世界におけるこの二大重要課題解決のために、積極的に各王侯を説得する意志も、明白にするのである。

だが、当の王侯たちは、彼らの間での戦争に熱中していた。

神聖ローマ帝国皇帝としてドイツとネーデルランド地方を統治し、スペイン王として、新大陸をふくめたスペインを領するカルロスと、フランス王フランソワ一世の対決の場はイタリアだったが、この年の四月、ミラノ近くで行われた戦闘で、カルロスの優勢は決定的になった。フランス王はミラノを放棄し、ジェノヴァも、フランス支配下からスペイン支配下に移る。ナポリ、シチリアの南イタリアはすでにスペインが獲得していたから、イタリアをめぐる伝統的なスペイン、フランスの確執は、ようやくこの時期、スペインの絶対的な優勢のもとに、ひとまず収まりがつきそうな情勢にあった。

そして、イギリス王ヘンリー八世とカルロスの同盟が成立したのが、六月。七月には、サーフォーク公指揮のイギリス軍が、ノルマンディーに上陸する。だが、英邁《えいまい》な君主フランソワ一世をいただき、ヨーロッパでは最も豊かな耕地をもつ国フランスが、そうは簡単に、ハプスブルグ家に屈するとは思えなかった。それにしても、フランスが守勢に立たされたことだけはたしかだった。

トルコ軍勢到着を報じ、援軍派遣を乞う聖ヨハネ騎士団の使節は、このような情勢下のヨーロッパへ送られたのである。ロードス島の聖ヨハネ騎士団こそ、「東地中海での最後のキリスト者の砦《とりで》」とは、西欧ではどの君主も思っていたが、思うこととそれを行動に移すことは、いつの世でも直線で結ばれるとはかぎらない。

トルコ全軍のロードス上陸は、七月二十八日、スルタン・スレイマン一世の上陸で完了した。

天幕の群れ

トルコ軍十万の軍勢は、六軍団に分れて、それぞれの布陣を終った。あらかじめ配置が決まっていたのであろう、城壁の上から眺めると、十万の軍勢にしては、動きが整然としている。

イタリア騎士たちの守る城壁を前にした堀《ほり》のふちぎりぎりの平地には、ペリ・パシャ率いる軍団が陣を張る。プロヴァンス出身の騎士たち担当の城壁の前には、クァジム・パシャの軍団が天幕の列を並べた。イギリス騎士防衛の城壁に対する平地には、ムスタファ・パシャ配下の兵たちが陣どる。アラゴンの騎士たちの守る城壁の対岸は、アーメッド・パシャの軍団が埋めた。アヤス・パシャ指揮の軍団は遊軍なので、ドイツ騎士の守る城壁前に陣どったが、天幕の位置は堀よりだいぶ離れている。アグラ・パシャは、一万五千を数えるイエニチェリ軍団を率い、オーヴェルニュの騎士たち防衛の城壁前に陣どる。これは、スルタンの天幕が、このあたりでは最も高地になる、アラゴン城壁前の丘に張られたからだった。スルタンの親衛隊であるイェニチェリ軍団は、どの戦闘でも、スルタンのすぐ近くに陣どることになっている。

このトルコ軍の陣容は、防衛側に、敵が城塞都市ロードスのどの部分に攻撃を集中しようとしているかを、悟らせることになった。それは、四大臣がそれぞれ担当する、イタリア、プロヴァンス、イギリス、アラゴンがそれぞれ守る、城壁であるにちがいなかった。八年前に、騎士団長ファブリツィオ・デル・カレットが予測し、徹底的な改造をほどこさせた部分の城壁こそ、今、大軍の攻勢に立ちはだかることになったわけである。

問題は、七十年前のコンスタンティノープル攻防戦当時からすると、築城技術も長足の進歩をとげたが、攻撃方法もまた、七十年間を眠ってすごしたわけがないという、現実だった。

スルタンの天幕は、まったく他を圧倒して豪華だった。それは、西欧の人々のもつ天幕の概念を、はるかに越えるものだった。全体が黄金色に輝く天幕は、一つではなく、いくつもの天幕が折り重なったような感じにできている。あの中は、多くの部屋にしきられているにちがいなく、兵たちの運びこんだ物の多さからして、コンスタンティノープルのトプカピ宮殿の内部と、ほとんど同じ快適さでととのえられているにちがいなかった。首都の宮殿生活と比べて天幕に欠けているものは、チューリップの花の咲き乱れる中庭に、三百人の美女を集めているといわれるハレムだけであろう。異教徒との戦いは、すべてアラーの神に捧《ささ》げる聖戦と信ずるトルコ人は、戦場に女をつれてくることはまずなかったからである。この華麗なスレイマンの天幕は、ロードスの市街からは、城壁の上に登りさえすればどこからでも見えた。

スルタンの天幕と比べれば格段に劣ったが、大臣たちの天幕も、それぞれ贅《ぜい》をつくして目立っていた。

イタリア城壁前のペリ・パシャの天幕は、緑色の地に一面に金色の刺繍《ししゅう》でもほどこされているのか、まるで緞子《どんす》が張られているように美しい。一方、プロヴァンス城壁前のクァジム・パシャの天幕は、ブルー地に銀の刺繍が陽《ひ》を受けて輝く。イギリス城壁前のムスタファ・パシャの天幕ともなると、スルタンの妹を妻にむかえている身分のためか、天幕は、赤地に金色の刺繍が一面にほどこされたものだ。アラゴン城壁前のアーメッド・パシャの天幕は、空色の地に銀と紫の刺繍。この背後の丘の上高く、天幕のいただきに金色の半月を飾った、黄金色のスルタンの天幕が張られているのだった。

各隊長の天幕も色とりどりの美しさだったが、金や銀の刺繍はほどこされていない。これらの美しい天幕が点在する間を埋めている兵士用の天幕は、地面と変らない土の色だ。市街では最も高所になる騎士団長居城の塔の上から眺めると、見わたすかぎりの地表は敵の天幕で埋まっていて、十万という敵軍の規模が、はじめて胸にずっしりとひびいてくるのだった。

七月の最後の数日、城壁上の騎士たちは、堀《ほり》をへだてた対岸の地表に、臼砲《きゅうほう》や大砲が設置される作業を見ながらすごした。丸く臼《うす》の形をした臼砲は、巨大な砲口を少し上にあげたかっこうですえられ、砲口の大きさはそれより劣るが、砲身の長さが印象的な大砲は、砲口をぴたりとこちらに当てた形ですえられる。これらの砲器は重いだけに、それをすえる土台づくりも楽ではなかった。この作業を、トルコ兵たちは、まるで城壁上の騎士など眼中にないとでもいうふうに、黙々とつづけていた。城壁からトルコ人の作業する対岸までは、ところによっては四十メートルはある。小銃も矢も、用をなさない距離である。騎士側の大砲は、各砦にすえつけられている。砦から対岸までの距離ならば近いが、トルコ兵も馬鹿《ばか》ではなく、砦の前面ではこの作業をしなかった。

八月が明日からはじまるという日の日没直前の時刻、トルコ側からの矢文《やぶみ》が、イギリス砦に射こまれてきた。スルタンの封印のあるその矢文は、早速団長にとどけられる。団長リラダンはその夜、騎士全員を団長居城の中庭に召集し、その前で、彼自らスルタンの手紙を読みあげた。再三の降伏の推《すす》めにもかかわらず、聖ヨハネ騎士団からの常識ある回答が得られないまま、スルタン・スレイマンとしてはやむをえず、明朝を期して攻撃を開始する、と告げたものだった。

騎士団長はそれを読みあげた後、われわれもまた、聖ヨハネ騎士団にふさわしいやり方で敵を迎えたい、と言った。全員、明朝は、頭の先から脚の先まで正式な武装に身をととのえて、城壁上に並んで敵を迎えるという意味である。二十八歳のスレイマンも、法というか礼儀というかを守るのが好きだったが、貴族の集団である聖ヨハネ騎士団も、この点ではよく似ていた。ただし、両者とも、騎士道精神を発揮するのは自分に都合のよい場合だけで、そうでないときは忘れて平然としていることでも共通していたのである。

攻防はじまる

八月一日、スルタンの予告どおり、ロードス島攻防戦は火ぶたを切った。

まず、大砲による砲撃が、先ぶれをつとめる。まるで大砲の試射でもしているかのように、砲撃は、イタリア城壁前からはじまって順に、プロヴァンス、イギリス、アラゴンと進んでいって一段落する。防衛側も、朝日を受けて銀色に輝く甲冑《かっちゅう》姿の騎士たち六百人が、城壁上にずらりと並んで迎える。生家の財力を示して華麗を競う甲冑は、それぞれ少しずつ形はちがうが、胸甲を飾る赤地に白の十字と、甲冑の肩からおおう、これも白十字の目立つ赤地の大マントは、全員が同じだ。大槍の先が、陽を受けて光り、各隊ごとに、色とりどりの隊旗がなびく。そして、スルタンの天幕に相対するように、アラゴン城壁の上には、聖ヨハネ騎士団の軍旗を背後にした団長リラダンが、仁王立ちの姿で、砲煙の中でも動かなかった。

トルコ兵たちは、この光景には、相当に度肝をぬかれたようだった。頭から脚の先まで鋼鉄製の甲冑でかためた兵は、一人の人間の存在以上の圧力を、対する者に感じさせるのである。城壁の上に整列した聖ヨハネ騎士団の騎士たちは、六百の人間以上の印象を、トルコ兵に与えたのだった。

しかし、中世そのものを感じさせる甲冑姿の騎士が、その威力と機動力を充分に発揮できるのは、馬を駆っての動きの自由を存分に謳歌《おうか》できる場所を得てこそである。馬を使えない城壁の上では、威力は半減するしかないのだが、デモンストレーションの効果は別である。

ただし、このデモンストレーションを砲弾の乱れ飛ぶ中でやらされたのでは、騎士たちといえども、砲煙の中に微動だにせずに立ちはだかるのも楽ではなかったと思うが、第一日目の砲撃は、トルコ砲兵が地形に慣れていなかったためもあって、被害はまったくなくて終ったのである。砲煙だけが、大げさにたなびいただけなのであった。

ロードスの城壁が、従来のものに比べて進歩した形であったのは、高く築くのでなく、深く掘るという、従来の築城法とはちがう概念をとり入れたからである。そのために、防衛側と攻撃側は、深く広く掘られた堀をはさんで、ほとんど同じ高さに対置することになる。実際は、少しばかり防衛側が高く位置するようにできていたが、この差も計算ずみなのであった。

なぜなら、少しばかり高目につくってあるといっても、一段高いつくりではない。端のほうは同じ高さなのだが、内側にいくにしたがって、ゆるい傾斜をなしているのである。横から見ると、ゆるやかな斜面になっている。これは、砲丸の直撃時における打撃の強さを、ほとんど半減する効果をもっていた。本城壁も外壁も、敵に対する側は、下にいくにしたがってこれまたゆるい斜線を描いて降りている。これも、砲丸による打撃度を減らすためである。

当時の砲丸は、臼砲にしても大砲にしても、丸く形をならした石丸を撃ちこむものなので、砲丸自体が当った瞬間に爆発するわけではない。当った瞬間の打撃の強さによって、対象物を破壊するのである。その強さが強ければ強いほど、破壊の度も深まるわけで、受ける側が直撃の瞬間に生ずる打撃の強さを減らすのに成功すれば、大砲の威力の前に処置なしという、これまでの状態から脱《ぬ》け出ることも可能なのであった。

そのうえ、ロードスの城壁では、砲丸が直下してくる怖《おそ》れのある場所の堀の中や城壁の内側は、やわらかい土が敷きつめられている。これでは、いかにまっすぐに落ちてきても、重い石丸は地表に埋めこまれるだけで、もうもうと舞いあがるのは土煙にすぎない。

また、もしも目標物がコンスタンティノープルの城壁のように、高々と築かれ、しかもそれが延々とつづいているものであったら、砲丸の射程距離さえ正確につかめば、どこかに当るのである。それがロードスでは、大砲をすえる位置が的《まと》とほとんど同じ高さにあるので、直撃時に生ずる破壊度は、いきおい落下の瞬間に生ずる強さにしか期待できないことになる。これもまた、攻防戦初期の、トルコの有名な大砲の威力に対する防衛側の恐怖を、減らすのに役立った。士気の高揚が正直にあらわれるのは、住民、傭兵《ようへい》、騎士の順である。市中では、籠城《ろうじょう》しているという現実を忘れるほど活気にあふれていた。これならば耐えきれるかもしれないと、子供までが思ったのである。

その後数日して、籠城側の士気がさらに高まる事件が起った。海側からの封鎖を義務づけられていたコルトグル指揮下のトルコ艦隊が、軍港と商港の間にそびえ立つ聖ニコラの要塞《ようさい》を攻略しようとして、失敗に終った事件であった。

この要塞は、四十年前のトルコ軍の攻撃の際に主戦場となった場所だが、今回の主戦場は陸上に移っていて、海側はただ封鎖が任務になっていた。だが、聖ニコラ要塞が要塞として機能しつづけるかぎり、軍港も商港も完全な封鎖はできない。二十人のフランス人騎士と五十人の兵が守る要塞からは、トルコ船が近づくと見るや、大砲が火を吹くからである。砲丸が命中すると、木造の小型船ではひとたまりもない。商船軍船ともに伝統をもたないトルコの船は、総体に小型で粗末なつくりであるのが特徴だった。

砲丸の命中は避けられても、石弓で射てくる火矢が怖《おそろ》しい。かといって、射程距離の外の海上をぐるりと船の輪でかこむなどという芸当も、航行技術からしてトルコ船には不可能だった。ロードス島の港の外の海は、海底が比較的にしても深い。錨《いかり》を降ろして船を浮べるなど、とてもできない。そのうえ、夏季はとくに、マエストラーレと呼ばれる北西風が強く吹きつける。少しでも油断すると、船は、軍港か商港かのどちらかに吹きよせられてしまう。

実際、舵《かじ》とりの手ちがいであっという間に港の出口をふさいでいた鉄鎖に衝突し、捕獲された船が一隻《せき》でる始末だった。騎士団は、向うからとびこんできたこの敵船の乗組員を尋問した結果、貴重な情報まで得ることができたのである。

三百隻ものトルコの大艦隊は、ロードスを海側から封鎖するのには事実上失敗していたが、三百隻もの船を無為に遊ばせていたわけではなかった。

これらの船の多くは、ロードス島と小アジアの港マルマンリスとの間を毎日のように往復して、十万の兵を陸上にとどめ攻撃に専念させるに必要なすべての物資の輸送に、活用されていたのである。いかにトルコ兵の粗食は有名であっても、十万の口を満たすのは大事業である。それに、ロードス島は、もともと小麦の産出が少なく、平時でも輸入の必要があった。羊を主とする家畜も、ロードスの市街に近い地域の農民は市街内に避難していたし、遠い地域には、騎士団はあらかじめ通告していて、トルコ人の攻めるに困難な山地に避難させてある。また、水も、近くの井戸や泉は、敵が利用できないように埋めこんであった。トルコ軍は、すべてを外から運んでこなくてはならなかったのである。

しかし、スレイマンは、これもすでに見こんで作戦計画を立てていたようだった。トルコの船は、マルマンリスまで行けば、そこには水も小麦粉も羊の肉も、砲撃に使う石丸から火薬から何から何まで、船に積みこめばよいようにととのえられているのである。不足しはじめると、いつのまにか補充されている。小アジアは、小麦の産地としても有名だった。スレイマンは、山がちのロードス島全域に兵をおくって、水なり小麦なりを調達するよりも、海上の五十キロを往復する、ピストン輸送作戦を選んだのである。マルマンリスまでの海は、逆風をついて行くことになるが、行きだから船は軽い。反対に、マルマンリスからロードスまでの帰りは、石丸を山と積んでいても、順風にのるのだから楽だった。二十八歳のスルタンは、従順を期待できない敵地の農民をおどして物資を徴収するよりも、わが家で調達して送りだすこのやり方のほうが、効率がよいと判断したのである。

これは、聖ヨハネ騎士団首脳部の予測を裏切ることになった。防衛側としては、この一五二二年の戦いも一四八〇年のときと同様に、トルコが、兵糧《ひょうろう》の調達はロードス島内でまかなわざるをえないであろうと考えていたのである。それがために、攻防戦が長びけば長びくほどこの面での不足があらわになり、一四八〇年がそうであったように、食糧の質の衰えと水不足から疫病《えきびょう》が発生し、やむをえず包囲を解いて撤退するしかなくなるだろう、と予測していたのだった。それが、敵は、簡単にはこのようにはならない作戦を立て、実行している。攻防戦が長びけば長びくほど不利になるのは、防衛側であった。

早速召集された首脳会議で、トルコの輸送ルートを断つ作戦の是非が討議された。騎士団所有の軍船を出港させて、逆風をついてマルマンリスへ向う途中のトルコ船を攻撃しようという案を、イギリスとイタリアの騎士館長が提案する。聖ヨハネ騎士団の海軍は、伝統的に、この二国出身の騎士たちが担当していた。

だが、偵察《ていさつ》の船を出して得た情報では、情況はそれほど楽観的でないことが判明した。トルコ船は、このような事態になるかとあらかじめ予測したのか、二十隻ほどの船が一団となって航行しているとわかったからである。これでは、騎士団所有の船を総動員するか、でなければ、コス島やボドルムの基地にある船まで召集しての攻撃でなければ、期待する効果は得られないと思われた。

それでも決行すべきであると、イギリスとイタリアの騎士たちは主張したが、このときにいたって反対をとなえたのが、フランス出身の騎士たちである。イル・ド・フランスもプロヴァンスもオーヴェルニュも区別なく、彼らは、コスやボドルムを放棄することにもなる作戦には、絶対に反対であった。フランス人は、土地獲得となると情熱を燃やし、放棄となると実に神経質になるのは、聖ヨハネ騎士団の団員になっても変らなかったのである。

おかげで、トルコ軍の輸送ルートは、何ひとつ妨害されずに機能しつづけることになった。騎士団の自尊心は、三百隻の敵船を迎えていながら、あいかわらずコスやボドルムとの連絡はつづけられており、ロードス島内でも、リンドスとさえ連絡がとれているということで満足していたのである。

物量作戦

スルタン・スレイマンは、陸上での砲撃の不てぎわにもあわてなかった。

八月はじめの砲撃が、砲煙と土煙りをあげるだけでめぼしい成果をもたらさない原因が、防衛側よりは少しばかりにしても低い地表におかざるをえない、大砲の位置にあるとわかったのである。大砲をすえるための高い台をつくる作業がはじまった。木製の台は、大砲自体の重量に加えて、発射の瞬間の衝撃にも耐えられるつくりでなくてはならない。それを多量に製作する期間中戦線を休ませないためか、それまで一度もトルコ軍の砲撃を浴びたことのないドイツ城壁とオーヴェルニュ城壁に、砲撃が集中する数日がすぎた。

このあたりの城壁は、ファブリツィオ・デル・カレットの改造の影響が少ない一帯で、城壁は高々とそびえ、胸間城壁も小きざみで、防衛側は砲器を使えない。ただ、堀の深さも広さも他《ほか》のところと同じなので、砲撃の効果はさしてあがらない。それでも、直線にそびえ立つ城壁のまっただ中に、放たれた石丸の一つが当り、壁の中にくいこんでとまるということはあった。

砲台が完成し、防衛側から見ると敵の大砲が一段高くなったところに並ぶようになったのは、八月も中旬に入ってからである。真夏といってもロードスでは、海からの北西風が、市街地の頭ごしにトルコ軍の陣営にもとどく。トルコ軍の到着前に樹木は切りたおし、家は破壊して、影をつくるものがないようにしてあっても、そのあたりは岩肌《いわはだ》ではない。岩肌に反射する真夏の陽光ならば耐えがたいが、足の下は土なのである。三十度近く気温があがっても風があれば、炎天下の作業の苦しさはよほどやわらぐのだった。

砲台が一段と高くなっても、砲撃の的中率が倍加したわけではなかったが、スレイマンは、量でもってそれをおぎなう策をとった。火薬も石丸も、どれほど消費しようと、補充はいくらでもできるのである。砲台の高さが増したと同時に、砲撃の量も大幅に増えたのだった。増えれば、当る数も増える。まずイギリス城壁前の外壁に、破損の跡が目立つようになった。だが、トルコ軍はまだ、堀の中に降りてまで攻撃をしかけてこない。攻撃がはじまってからの防衛側の受けた被害は、死者だけにすれば、騎士一人と傭兵数人にとどまった。この人々は、イギリス城壁前の外壁の守備についていてやられたのだ。

それでもなお、防衛側の士気に衰えは見えなかった。それどころか、高まる一方だった。

八月の最後の日、トルコ海軍の監視をよそに、一隻の船がロードスの港に入港したのである。ナポリから来た船で、四人の騎士と少数の傭兵と、だが多量の弾薬を積みこんでいた。イタリアにある聖ヨハネ騎士団の支部が、ととのえて送り出した船であった。これは、乗せてきた人や物資よりも大きい満足を、防衛側に与えた。なによりもトルコ海軍による海上封鎖が実効のないものであることを証明していたし、西欧がロードスを忘れていないという希望を与えたからである。だが、これを知ったスルタンは激怒し、艦隊の指揮をまかされていた海賊コルトグルは、帆柱にしばりつけられ、裸体が血の川でおおわれるまで、鞭《むち》で打たれたということであった。

秋

しかし、九月に入ると、トルコ軍の物量作戦が、効果をあらわしはじめてきた。防衛側も予想していたのだが、大砲と地雷で、地上と地下の両面からの攻撃である。

地雷といっても、爆発物を地下に埋めて、その上を通ると爆発するものではない。城壁の下に通ずるように地下に坑道を掘り、坑道が城壁の直下に達したら、そこに爆薬を詰め、爆発させるのである。コンスタンティノープル攻防戦当時でも、トルコ軍はこの戦法をとり入れようとしたのだが、あの当時はまだトルコ軍の中に、目標とした地点に正確に達せる坑道を掘れる技術をもった人間がいなかった。それが、その後のトルコの進攻によってバルカン地方が支配下に加わり、あの地方に盛んな銀鉱の技術者たちを使えるようになって、トルコ軍の工兵隊の技術水準が飛躍的に向上したのである。なにしろ、二十メートルの深さの堀が横たわる下を掘っていくのである。相当に後方から掘りはじめねばならない。後方から掘る必要のうちには、多くの工夫が従事するこの作業を、防衛側に察知されないこともあった。

九月三日、イギリス城壁前の外壁下で、最初の地雷が爆発した。同時に、その地点への砲撃が、一段と激しさを増す。そして、攻防戦開始以来はじめて、敵兵が堀の中になだれこんできた。

この一帯の攻撃を受けもつムスタファ・パシャが、堀のふちまできて指揮をとるのがよく見える。外壁の三分の一が爆発で吹きとび、無惨《むざん》な地肌を見せていた。爆発であらわになった坑道は、二メートルもの幅がある。

防衛側は、本城壁まで後退した。崩れた外壁を越えて押しよせてくるトルコ兵を、できるだけ引きつけておいて、小銃と石弓で的確に殺す作戦だ。敵の攻撃が集中しているイギリス城壁には、フランスとカスティーリア隊の騎士たちも、イギリス隊の応援に駆けつけた。

その日、ムスタファ・パシャは、彼配下の全軍である二万の兵を投入した。防衛側の戦力はその十分の一にも満たなかったが、騎士たちの強みは、精鋭であるうえに、常時戦時体制下にあることだ。戦い慣れた兵ほど強いものはない。第一回目の敵軍の大攻撃は、日没を合図にトルコ軍が引きあげたことで終った。トルコ側の死者は、二千人前後。防衛側の損失は、三人の騎士と少数の兵にとどまった。これも、外壁の守りについていた者たちで、地雷爆発の瞬間に吹きとばされたり、崩れた土砂に埋ずもれた者だった。

しかし、二メートルもの幅の坑道を、気づかぬうちに敵が掘っていたという事実は、防衛側に、本格的な地雷対策を早急にとる必要を痛感させることになった。

技師マルティネンゴが考え、準備も終っていた作戦が実行に移される。このために、市街に住む老人や女や子供が動員された。彼らはそれぞれ、マルティネンゴ考案の器具を与えられる。それは実に単純な器具で、羊の皮を薄くなめして張った太鼓の片面のようなものに、小さなコルクの玉がいくつかぶらさがっているだけなのだが、これを城壁の内側をめぐる屋根つきの壕《ごう》の壁にあてていると、地下で起るほんの小さな音でもとらえ、コルクの玉が羊の皮にふれて音をたてるというものである。いわば原始的な超音波探知器なのだが、住民たちは協力を惜しまなかった。とくに、子供たちの耳が最も役立つことも証明された。

この作戦によって、九月中だけでも十二の地雷が探知され、こちらから逆に掘った坑道を伝って、地雷は不発のままで撤去することに成功した。トルコ軍は、坑道掘り作業を、砲撃の音がすさまじい日中に行うので、防衛側の坑道掘りは、夜を利用できたのである。壕に屋根をつけさせたマルティネンゴの考えは、砲撃による土砂から子供たちを守れるだけでなく、比較的にしても、砲撃音にわずらわされずに敵の坑道掘り作業を探知するのに、予想以上の効果をもたらした。

しかし、すべての地雷を不発に終らせたわけではない。また、九月も半ばとなると、トルコ軍の撃ってくる砲丸は日に百発を越え、臼砲《きゅうほう》は、一日平均十二砲が、イタリア、プロヴァンス、イギリス、アラゴンの各城壁に落下する。防衛側の死傷者の数も、トルコに比べれば少ないにしても、じわじわと数を増しつつあった。アラゴンとイギリス城壁前の外壁の破損はとくにひどく、もはやそこに守りの兵をおくことは不可能になっていた。

それでも堀の中に張り出している砦《とりで》は五つとも健在で、城壁にとりつこうとする敵兵を、騎士団独得の新兵器を駆使してそぎ落とす。新兵器とは、ギリシア火焔薬《かえんやく》を応用したもので、長い筒の先から火焔がほとばしり出る、原始的な火焔放射器と言ってもよいものだった。ただ、長時間火焔を放射しつづけることはできないという欠点はあった。だが、準備ずみのものを多数用意しておいて、使えなくなったら新しいものに代えれば、この欠点も改善される。それに、トルコ兵の装備は軽装で、鋼鉄製の胸当てさえもつけていない者が大部分だったから、火焔につつまれたら最後だった。

しかし、善戦をつづける防衛側も、敵状を正確に知る方法を断たれてから久しかった。包囲された状態で闘わねばならない者の、これが最もつらいところなのだ。ロードス到着までならばあれほど正確に敵状を把握《はあく》していた騎士団首脳も、敵が城壁前に布陣を終った七月末から一カ月半というもの、情報をまったく入手していなかったのである。首脳会議の席上、この必要を全員が認め、対策が討議された。

ロードス島住民のギリシア人の誰《だれ》かを敵中に潜入させることは問題外である、と一人が言い、全員がうなずいた。もしも身許《みもと》がわかって捕われたとした場合、所詮《しょせん》はロードスの被支配階級に属すギリシア人に対して、知っていることをすべて白状するよりは死を選べとは、期待はできない。また、トルコ側のスパイになって送りかえされてくる危険も、まったくないとはいえなかった。トルコ軍中には、トルコ支配下のギリシア人とはいえ、同じギリシア人が多勢加わっているのである。人種的にも言葉の問題でも、敵中に送りこむスパイとしては最も適したギリシア人を使うことは、あきらめざるをえなかった。といって西欧人では、肉体的外観からして露見しやすい。

敵陣潜入

だが、結局選ばれたのは、二人のイタリア出身の騎士だった。一人は、南イタリアのプーリア地方の貴族で、かつては古代ギリシアの植民地として栄えたあの地方の上流の男たちには、今ではギリシアでさえも珍らしくなった、ひたいからまっすぐに通った鼻の持主が少なくない。それに、浅黒い肌に黒い眼《め》と黒髪の持主で、ギリシア人と紹介されても疑う者は少なかったであろう。さらに好都合なことには、この騎士はギリシア語を達者に話した。

もう一人は、オルシーニである。オルシーニならば、捕われても、口を割るよりは死を選ぶであろうと誰もが確信できたし、彼のこれまでのトルコ兵に対する勇猛果敢な闘いぶりは、衆知の事実である。それに、オルシーニならば見るべきものはなに一つ見のがさないで帰ってくるだろうという、騎士団長の言葉が大きくものを言った。ただ、このローマの若い騎士には、不都合なことも多かった。まず、亜麻色の髪と青味をおびた灰色の眼の持主であることだ。そのうえ、陽焼《ひや》けしていても、皮膚の下の血の色がどうしてもうかがわれてしまう、西欧の若者特有のすきとおった肌色が問題だった。

これを告げられたオルシーニは、ほがらかに笑った後、いったん家にもどり、一時間ほどして再び首脳会議の席上に姿をあらわしたのだが、それを見た人々は、啞然《あぜん》として言葉もなかった。ローマの大貴族出身の騎士は、ギリシアの下層民に一変していたからである。ゆるやかに波うっていた亜麻色の髪は、黒褐色《こっかっしょく》の巻毛に変り、血の色を匂《にお》わせていた浅く陽焼けした肌は、汚れて黒っぽく変っている。青味をおびた灰色の眼だけは同じだったが、かえってそれが、トルコ人でなく、ギリシアの血をひく黒海沿岸地方の男を思わせるのに効果があった。

身なりも、どこで手に入れたのか、ギリシア船の下働きならばふさわしい、粗末なものをまとっている。感心した一同は、オルシーニに、この大役をまかせることに決定した。ただし、彼は、敵中にある間は、一言も口をきいてはならなかった。ギリシア語はあまり、得意ではないのである。話すのは、プーリアの騎士にまかせるしかなかった。

変装した二人を乗せた小舟が、夜の闇《やみ》の中を、ひそかに港の入口からすべり出る。小舟を漕《こ》ぐのは、騎士団の船で長く働く、六人のギリシア人の船乗りだ。彼らもまた、重要な任務をおびていた。ロードス島の東岸に二人の騎士を降ろした後も、そのまま南下をつづけてリンドスの基地まで行き、そこで二日の間待ち、三日目の夜、二人を降ろした海岸までもどり、任務を終えた二人を拾って、ロードスの港に再びすべりこむという困難な仕事である。彼らも二人の騎士同様に、ギリシアの下層民に身をやつしている。ただ、小舟は、トルコの旗をかかげていた。

トルコ軍は、攻防戦が日を重ねるにしたがって、それに比例して砲撃の量も増していくと決めているかのようだった。

火を吹く砲口の数が増えただけでなく、発射と発射の間も大幅にちぢまっていた。アラゴン城壁前の外壁は、石と土砂のかたまりに変貌《へんぼう》していたし、イギリス城壁前の外壁は、立っているのは三分の一も残っていなかった。それでもまだ本城壁は健在で、その上まで這《は》いのぼれた敵兵は一人もいない。地雷の被害から、まぬがれてきたからだった。だが、坑道が各所に掘られているのは、誰も疑わなかった。これまで一度も地雷の爆発に見舞われなかったイタリア城壁前の外壁も、ついに地雷で半ばまで吹きとんでいたのである。

騎士団長居城の最上階の広間では、首脳陣が先ほどから全員顔をそろえていた。敵陣に潜入した二人の騎士が無事にもどるとすれば、その夜が帰還のときと決まっていた。二人を乗せた小舟が港に入りしだい、二人の騎士はこの部屋に直行し、報告を果すとも決められている。だが、待つ時間は長かった。燭台《しょくだい》のろうそくが燃えつき、新しいものに代えられても、まだ二人はもどって来なかった。夜間の見張り当番にあたっていたアントニオも、イタリア城壁の上を行き来しながら、オルシーニの帰りをまつ一人だった。二人の騎士をこの危険な任務に送り出したイタリア騎士館では、夜半すぎても、各部屋の灯《あか》りがともったままだった。

持ち帰った報告

二本目のろうそくが小さな蠟《ろう》のかたまりと化し、炎が、燃えつきる前の不安定なゆらめきをくり返す頃《ころ》になって、二人の騎士は、待ちかねていた人々の前に姿をあらわしたのである。二人とも、変装の必要もないほどに汚れ、疲れはてて消耗しきったふうだった。予定より帰還のときが遅れたのは、工夫たちの宿舎から逃げだすのが容易でなかったからだと、オルシーニが口をきった。

二人は、敵陣の兵士の間では武器をもっていないために目立つので、身ひとつで集められ、与えられた道具を使って仕事すればよい工夫の群れにまぎれこんだという。工夫として作業に従事しながら、彼らは敵を観察したのだった。

報告は、騎士団内での地位が上のオルシーニが主として行い、プーリア出身の騎士は、オルシーニが確認を求めたり、他の者が質問する際に答えるかたちで進められた。

ローマの若い騎士の口ぶりは、疲れきってはいてもいつもの彼のもので、まるで他人事を話しているように感情に左右されず、ときには、微笑だけでなく、愉快な笑い声さえもたてそうな話しぶりだった。

まず、誰にもあやしまれずに敵中に潜入した二人は、夜明けとともにたたき起された工兵の一隊に加わったのだが、あまりにもこれらの人々の出身地が多様で、互いに言葉が通じないほうが普通という状態では、オルシーニがギリシア語を話せず、もう一人はギリシア語は話せてもトルコ語は解しないことなど、心配する必要もなかったという。トルコ帝国の領土の広大さを思えば、納得するのに簡単だった。

二人は、潜入第一日目を、砂浜に急造の船着場をつくる作業に従事してすごした。これは、新たにつくるというよりも、すでにつくられていた船着場が基盤がしっかりできていないために崩れたのを、補強する作業であったという。工兵たちは、夜明けとともに仕事に駆りだされ、日没とともに粗末な天幕にもどって眠る。与えられる食事は、黒パンと水と煮た野菜の一皿《さら》だけで、肉も果実も彼らのものではない。工兵として使われている男たちは、ダニューヴ河周辺から徴集された男たちが多いということだった。作業中もトルコ兵の監視つきで自由はないが、夜も自由はない。海岸にそって張られた天幕の外を、夜中はトルコ兵の一隊が巡回しているからだ。トルコは、自国の臣民であるこの男たちに対しても、脱走防止の策を忘れるわけにはいかないらしかった。

潜入二日目、夜明けとともに行われる全員整列の直前に逃げだした二人は、イギリス城壁前に布陣している、ムスタファ・パシャの陣営にもぐりこむことに成功した。ここでも、工兵の一群に加わる。彼らに課せられた作業は、地雷設置のための坑道掘りだった。

坑道は、トルコ軍の陣営のはるか後方、堀《ほり》のふちから計るとすれば百メートルは確実にあるという距離から掘りはじめられる。まず、ゆるやかな傾斜の穴がある地点まで掘られ、そこから直線に、城壁下に向って掘りすすめられる。城壁全域に何本の坑道が掘られつつあるかまでは、危険が多すぎて調べられなかったという。なぜなら、作業は常に抜身の剣を持ったトルコ兵の監視下で行われていたからだ。それでも、イギリス城壁一帯だけでも十本以上は掘られているのは確実だと、二人は証言した。そのうちの一本は、どうしても目標がイギリス砦にあるとしか思えない方角に掘りすすめられており、これを知った時は、オルシーニですら冷汗が流れるのを感じたという。敵は、バンカーのように固い守りの砦を、根元から吹きとばすつもりでいるらしかった。

騎士団長は、これには報告終了までまちきれず、二人の騎士には少しまてというふうに目配せしてから、同席していたマルティネンゴのほうに視線を向けた。視線を向けるだけで、ヴェネツィアの技師には充分だった。ただちに彼は、机上の紙片をひきよせ、その上に、定規を使って線を引きだした。アラゴン城壁とイギリス城壁の双方から、同時に二本の坑道を掘るためだ。それらは、敵陣からイギリス砦に向っている坑道と、それが砦に達する前に交《こう》叉《さ》するよう計算されていた。図面が完成するしばらくの間、誰も一言も口をきかなかった。

できあがった図面を、技師マルティネンゴは、団長秘書官のラ・ヴァレッテに渡した。この場合も、説明の必要はなかった。ヴァレッテの部下の一人がただちにイタリア騎士館に走り、そこに宿泊しているマルティネンゴの二人の助手に渡すだけでよい。不測の場合でもすぐさま作業にとりかかれるように、人間も器具もあらかじめ準備しておくことは、攻防戦に参加する技師の心得とされていたからである。

それを知っている団長リラダンは、図面が部屋を出た段階でひとまず安堵《あんど》したのであろう、オルシーニに、報告のつづきを促した。オルシーニは、前と同じように時折同僚の確認を求めながら、話を再開した。

意外な事実

二日目の夜は、坑道掘り作業を日没までつづけていれば、他の工兵とともにトルコ陣営の外側に並ぶ工兵用の小屋に眠るのがまぬがれない運命と思い、二人の騎士は、工事終了の前にそこを逃げ出すことに決めた。工兵宿泊用の小屋は、夜間に外から鍵《かぎ》をかけられると知ったからである。

二人は、土砂運搬用の荷車を押しながら、スルタンの天幕の張られたアラゴン城壁前の敵の陣営を横断し、イエニチェリ軍団の天幕の並ぶ、オーヴェルニュ城壁前の地域まで潜入することに成功した。そこで荷車を捨て、砲台づくりに従事している一群にまぎれこんだのである。その夜は、この一帯で働く工兵用の天幕で夜を明かすことに決めた。ここまでくると、トルコ軍が攻撃を集中させている地帯から少しはずれるためか、工兵用の天幕も、前線によほど近い距離に張られている。これならば、敵の前線を調べるのに好都合にちがいなかった。二人は、なるべく前線に近いところにある、天幕にもぐりこんだ。そして、その夜は寝もやらず、暑さに耐えかねて天幕の外に顔を出し、涼をむさぼるふうを装い、観察をすることにしたのである。

夜半近い時刻になったときだった。オルシーニがまず、正面に黒く迫る聖ジョルジュの砦の上に、なにかが光ったのに気づいた。すぐかたわらの同僚に知らせ、四つの眼が見すえる向うに、今度もまた、光るものを認めたのである。光は、同じくらいの間を置いて、つづいて五回きらめいた。二人とも、もはや疑わなかった。聖ジョルジュの砦の上から、誰かがトルコ陣営に向けて合図を送ったのだ。しばらく待ったが、その後はなにも光らなかった。二人のひそむ天幕と堀の間の、それも堀によほど近いところには、イエニチェリ軍団の団長アグラ・パシャの天幕が張られている。そこからトルコ兵が一人走り出て、スルタンの天幕のある方角に駆け去ったのも、二人ははっきりと見たのだった。

スパイがいる。ロードスの城壁の内部に、敵のスパイがいる。広間の空気は、一瞬にして張りついたまま動かなくなった。

二人の騎士が、その次の日一日中、深く入りこんでしまった敵陣の中を危険をおかしながら通りぬけ、敵陣からは遠く離れた定めの海岸までたどりつき、心配し待ちかねていた小舟に拾われてロードスの港に帰還できた報告などは、オルシーニの口から言葉は出ていたのだが、誰一人聴いてはいなかった。聖ヨハネ騎士団の首脳陣の頭は、スパイのことで占められてしまったのである。報告を終えた二人の騎士に、御苦労であった、とだけ言った団長の口ぶりも、まるでうわの空で言っているかのようだった。

スパイ対策は、ただちに着手されねばならなかった。団長リラダンは、列席者たちの意見も聞かず、独断でスパイ捜査の責任者を決めた。いつもは自分の意見が固まっていても、まず同僚たちの意見を聞くのがならいのリラダンにしては、珍らしいことだった。リラダン自身も、常にはしないことを自分がしたのに、気づいてもいないようだった。

捜査をまかされたのは、イギリス出身の騎士ウィリアム・ノーフォークである。このイギリスの騎士は、聖ヨハネ騎士団の海軍の指揮官なので、この夜の首脳会議にも同席している。誰も、この任命に異議はなかった。

老練な騎士ノーフォークは、長年のロードス生活で、ギリシア語はもちろんのこと、トルコ語も相当に話せた。トルコ語は、戦闘中に捕虜になって奴隷《どれい》に売られ、ガレー船の漕ぎ手として働かされていた時期に習い覚えたのである。それに、艦長勤務が長いことから、船で働くロードス島民の使い方に熟達しており、また、彼らの間での人望も高かった。まさか騎士団の内部に敵への内通者がいるとは思えなかったので、ギリシア人世界の情報を得るのが先決と考えられたのである。

最後に、騎士団長は列席の全員に向い、今夜この席で話されたことは、ただのひとことも外部にもれてはならない、と言いわたした。スパイ捜査も、極秘裡《り》に行われるのだった。そして、列席者たちは、寝もやらずにそれぞれの持場に散って行った。海に面した窓から入ってくる明けがたの白い光が、広間のすみずみにまで行きわたる時刻になっていた。

海に浮ぶ火山

南の島にも、秋の気配がただよう季節、籠城《ろうじよう》戦は、三カ月目に入ろうとしていた。だが、あの夜からはじまった三日間、ロードスの城壁は、これまでついぞ見なかったほどの、砲弾と地雷を浴びることになったのである。

それは、イタリア、プロヴァンス、イギリス、アラゴンと、南側の城壁全線にわたって、まったく間断ない砲撃だった。しかも、地雷は、しばしば夜中に爆発する。防衛側は、夜間も人を減らすことができなくなった。

地雷対策も、窮地におちいっていた。いかに正確に敵の坑道を察知しても、敵は数の多さで対決してくる。人海作戦を駆使して向ってこられては、こちらから敵の坑道目ざして掘る作業も追いつかなくなった。また、地雷対策用の城壁の内側をめぐる壕《ごう》も、城壁自体の破損が目立つその頃には、崩れてくる石や土砂が、壕の屋根を壊してまで降りそそいでくる。子供を中にひそませるなど、とてもできない状態だった。それに、マルティネンゴ考案の坑道探知器も、夜まで地雷の爆発音で妨害されるようになっては、もはや効果は期待できなかったのである。

この三日間の砲撃のすさまじさは、城壁の内側にこもる人々を恐怖でふるえあがらせたが、外の世界にいる者をも、驚かせずにはすまなかった。コス島とボドルムの基地を守っていた騎士たちも、船を駆って様子を見にきた。海上から眺《なが》めると、ロードスは、まるで海の上に突如あらわれた火山ででもあるかのように、煙と爆音でおおわれていた、と彼らは言った。この三日間を通して、千五百発の砲丸が撃ちこまれ、十二の地雷が爆発した。

誰もが、砲撃の終った後に襲ってくる、トルコ軍の総攻撃を予想した。

トルコ軍は、どの戦いでも、決まったように同じ戦法でくるのである。まず、量にものいわせた砲撃を浴びせかけ、防衛側の守りを崩す。同時に、地雷設置用の坑道掘りをすすめる。地雷作戦が効果をあらわしはじめるや、砲撃の激しさも一段と増す。そして、準備がととのったとみるや、全軍を投入しての総攻撃の火ぶたが切っておとされるのだ。西欧最強の君主とされるカルロスでさえ、投入できる戦力が二万という時代、十万を軽く集められる大帝国トルコの主《あるじ》にして、はじめて可能な戦法であった。

しかも、総攻撃前の三日間は、それにそなえての休息の期間というのも決まっていた。その三日間、砲兵と工兵以外の兵は、武器にみがきをかけるぐらいの仕事しか与えられない。そして、なるべく身体と精神を休めるよう言いわたされる。その代わり、食事はほとんど絶食に近い量しか供されない。総攻撃を前に、精神がそれに向って徐々に高揚しないようでは、イスラムの戦士ではなかった。彼らにとっては、異教徒相手の戦いは、アラーの神の恵みにあずかれる、最も晴れがましい機会とされていたからである。

だが、トルコ軍には、常に全軍の三分の一を占める非イスラム教徒がいる。彼らの多くはトルコ支配下のギリシア正教徒だったが、信教の自由には寛容なトルコ人は、これらの人々に対してまでは、アラーの神に身を捧《ささ》げる前の精神的高揚を要求しない。とはいっても、絶食に近い状態で三日間すごさねばならない点では、非イスラム教徒も変りはなかった。

トルコ軍の戦法を知っているこれらの人々は、命令がくだされなくても、総攻撃の到来を疑わなかった。総攻撃がはじまれば、彼らがまず最前線に駆り出されるのである。これもまた、トルコ軍の伝統的な戦法であった。

総攻撃開始

九月二十四日、太陽が昇りはじめる前、トルコ軍の陣営から笛と太鼓とラッパによる奏楽がわき起った。イギリス城壁前の敵陣からはじまったこの奏楽は、たちまちプロヴァンス、イタリア、アラゴン城壁前の一帯に広まる。この奏楽は、それが鳴っている地帯の攻撃がはじまるという合図だから、その日は、陸上の防衛線のほとんど全域にわたって、敵の攻撃を受けるということだった。これまでの二カ月、敵は五度の攻撃をかけてきたが、それはいつもイタリアかプロヴァンス、イギリスかアラゴンの城壁に個々になされてきたので、全域にわたっての攻撃は、その日が最初なのであった。

城壁の内側からも、防衛戦力総動員を告げる警鐘が鳴りはじめる。市街にあるすべての教会の鐘が、カンカンとけたたましい音で鳴りはじめると、騎士や傭兵《ようへい》はもちろんのこと、住民の中で戦闘要員に選ばれた男たちも、あらかじめ決められた守りの位置に向って走る。海側の防衛を担当するカスティーリアやフランスの騎士たちも、陸の城壁防衛に加わった。彼らが残した空白は、港に停船中の西欧の商船の乗組員たちが、埋めることも決まっている。

その日は、金色のやや小ぶりの天幕が、戦線のちょうど中頃に位置するコスクィーノ砦を前にした地表に、一段高くしつらえられているのが、城壁の上からよく見える。スルタンの観戦用であろう。四人の大臣たちは、それぞれの担当地域の堀のはしに、いずれも見事なアラブ馬をすすめ、馬上から指揮をとる。防衛側も、騎士団長自ら、赤地に白十字の大旗をかたわらに、城壁の上に姿をあらわした。

敵の総攻撃は、キリスト教徒で構成されている非正規軍団による攻撃で開始された。それまでの二カ月、坑道掘りやその他の土木作業に従事させられてきたこの軍団は、服装も武器も統一がとれていないのだが、堀のふちから突き落とされるように進撃してくるのは、前に進むしかないからである。彼らの背後には、抜刀したイエニチェリ軍団の兵たちが、恐怖に駆られて後もどりする者でもあれば一刀のもとに斬《き》りすてようと、堀のふちで待ちかまえているからだ。

砲撃は、中断されていた。聴こえるのは、敵兵のあげる、悲鳴とも鬨《とき》の声ともつかない叫び声だけである。絶え間なくなだれこむトルコ兵は、見るまに堀の中を埋めはじめた。崩れた外壁のすき間を通って、前方よりも後方への恐怖に駆られて前進をつづける。城壁にたどりついた者は、用意していたはしごを立てかけ、それを伝わって上に達しようとする。はしごが使えない兵は、まるでヤモリのように、城壁にはりついた姿でそれを登りはじめた。

防衛側の応戦は、冷静で的確だった。武器弾薬も人間も、無《む》駄《だ》使《づか》いは許されないのである。敵兵は、なるべく引きつけておいて処理する必要があった。砦を守る兵たちも、ほとんど横向きになりながら、城壁に群らがる敵兵を倒して行く。

陽光が暖かさを増してきた頃、非正規軍団に退却の命令がくだった。ラッパの音とともに彼らが引きあげた後には、三千に近い死体が残された。

死者も負傷者もそのままに、休むまもなくトルコ軍の第二波攻撃がはじまる。今度は、装備も武器も統一された、正規軍団のトルコ兵だった。彼らの使う攻城器は、はしごのような単純なものではない。だが、それらが城壁や砦の壁面にとりつけられるやいなや、防衛側は、火焔《かえん》放射器を使って焼きはらう。正規軍相手の防戦には、テラコッタ製の小壺《こつぼ》に火薬を詰めた、一種の手榴弾《てりゆうだん》が使われた。鋼鉄製の甲冑《かっちゅう》をつける習慣をもたないトルコの兵士は、火焔には実に弱い。全身火の玉と化した兵からは、味方でさえ遠ざかろうとする。

しかし、正規のスルタンの兵士であるだけに、ただただめくらめっぽうに襲いかかってくるようなことはしない。戦いぶりは統一され、軍規もゆきわたっている。そして、なによりも、五万という数が防衛側を圧倒していた。

スペイン（アラゴン）砦に敵の旗があがったという知らせが、城壁の上を駆けまわった。騎士団長はただちに遊軍を率い、スペイン砦に駆けつける。同時に、イタリア城壁の上に這《は》いのぼった敵兵と味方との間で、白兵戦が展開中、という情報も入った。十メートルは幅のある城壁上の通路は、あわただしく行き来する騎士たちで埋まる。

トルコ側も、イギリス砦とスペイン砦の間一帯の防衛が、崩れはじめたと見たのであろう。

ここに、イエニチェリ軍団の一万五千を投入したのである。この一帯の攻撃は、トルコ兵二万にイエニチェリの一万五千を合わせて、ムスタファ・パシャにまかされた。

全戦線を通じて熾烈《しれつ》な攻防がつづいていたが、やはり、イエニチェリ軍団の加わった戦線が最も激しかった。騎士団長の居場所を示す赤地に白十字の騎士団軍旗も、その一画にひるがえったまま動かない。トルコ軍の背骨といわれるイエニチェリ軍団の勇猛ぶりは、その評判を裏切らないすさまじさだった。

イエニチェリ軍団は、トルコ支配下のキリスト教国から、七、八歳になった年頃の男子を強制的に集め、イスラム教に改宗させた後、集団生活をさせながら戦士としてきたえあげた男たちで構成されている。妻帯は認められていず、自分の家を建てることも許されない。彼らが従うのは、アラーの神と、その地上での体現者であるスルタンだけである。トルコ軍の精鋭イエニチェリ軍団の強さは、親もなく妻子もなく、ただただスルタンとのみつながっている心理状態にあった。彼らは、生れながらのトルコ人よりも、よほど狂信的だった。生れながらのイスラム教徒でないだけに、自分が今はイスラム教徒であることを、より強くより多くの機会に示す必要を意識下にもっているからである。この狂信は、キリスト教徒と対決したときに、彼らを使う側にすれば、最も効果的に発揮されるのであった。

その日の戦闘は、六時間がすぎてようやく終った。ロードスの城壁は、ついに持ちこたえたのである。敵兵が引きあげた後の堀は、死体で埋まっていた。トルコ軍の損失は、死者だけでも一万といわれた。防衛側は、死者三百五十、負傷者は五百に達した。その中に、アントニオ・デル・カレットもいる。まだ陽光を浴びている堀の中では、トルコ兵たちが、死者や負傷者を運びだす作業をはじめていた。防衛側からは、それに対し、矢一本射られなかった。城壁の上でも砦の上でも、激闘を終えたばかりの騎士や兵たちが、死んだように横たわったままの姿で動こうとしなかった。その中の誰一人、勝利の喜びを叫ぶ者はいなかった。

天幕の中では、頭をたれてひざまずく六人の指揮官を前にして、スルタン・スレイマンの怒りが爆発していた。総攻撃失敗の責任は、ムスタファ・パシャにあると糾弾《きゅうだん》しているのである。法の人、秩序の君主と呼ばれることを好むスレイマンは、二十八歳の若さを自重しながら、これまで実に慎重にことを進めてきただけに、この日の総攻撃こそ、一挙に勝利を手中にする機会と信じて疑わなかったのであった。それが、二カ月におよぶ慎重な準備の後、二十倍の戦力を投入して得た結果がこの惨状である。おだやかに人に対することを自らに課してきたスレイマンも、さすがに最高権力者は誰かを思い出したらしい。宰相《さいしょう》であるだけでなく義弟の関係にもあるムスタファ・パシャであっても、敗戦の責任をとらせないではすまなかった。

ムスタファ・パシャは、死罪を言いわたされた。また、死罪とは酷だと救命を願ったクァジム・パシャも、ともに死罪を宣告される。

　これには、指揮官全員が、ふるえながらも異議をとなえた。大臣の中で最年長のクァジム・パシャと、宰相のムスタファ・パシャの二人とも死罪に処しては、戦線が崩壊してしまうという理由を言い張ってである。スレイマンも、この理由は受けいれた。だが、クァジム・パシャにはもとどおり戦線にとどまることが許されたが、ムスタファ・パシャは、シリアの総督に左遷《させん》され、その翌朝早くロードスを離れ、二十隻《せき》の船を従えて任地へ発《た》って行った。

　ムスタファ・パシャの後任には、スルタンよりは一歳年上の側近でスレイマンが親友づきあいもする仲の、もとギリシア人イブラヒムが任命された。宰相の位は当分空席と決まったが、一年後にこの位も襲うことになるのも、このイブラヒムである。

負傷

アントニオ・デル・カレットが倒れたのは、イタリア城壁の上である。城壁をよじ登ってくる敵兵に向って石弓の矢を放っていた若者は、どこからかとんできた銃弾に肩を強打されてよろめいた。弾は鋼鉄の甲冑までは通らなかったが、当った瞬間の衝撃に耐えられなかったのだ。だが、この一瞬の無防備を敵につかれた。城壁の上に這いのぼった敵兵が、よろめいた彼の上にとびかかってきたのである。

そのとき、敵が左手にもっていた抜身の短剣が、あお向けに倒れようとしていたアントニオの右の太もものつけ根に突き刺さった。焼くような痛みが、下半身をかけぬける。だが、その痛みを感じている暇もなかった。アントニオの、鋼鉄のかぶとに細く開けられた眼のすぐまぢかに、トルコ兵の顔がかぶさってきたからだ。敵が右手にかまえた半月刀の剣先が陽光にきらめいたのを見た時、もう終りだ、と彼は思った。鋼鉄製の甲冑は、それを着けている当人に行動の自由がある間は効力を発揮するが、いったんそれを失うやいなや、甲冑の重さとつくりの巧緻《こうち》さが、かえって不利に働く。離れて闘うには有利だが、胸もとにとびこんできた敵と闘うには適していなかった。

しかし、観念したアントニオが次の一瞬に見たものは、いまにも半月刀で彼の首をかききろうとしていた敵兵が、そのままの姿で硬直し、次いで左側に、どうと倒れる姿だった。そして、誰かが彼の身体を城壁の上の通路を引きずり、内側に降りる石の階段を引きずりおろした。城壁の下に降りたときはじめて、それが誰かがわかった。兵の一人に、病院に運ぶよう命じた声でわかったのだ。オルシーニだった。

病院は、次々に運びこまれてくる負傷者が、中庭まであふれていた。それでも、着けている甲冑から騎士の身分と知れたのであろう、アントニオは、中庭を囲む回廊に横たえられた。そこならば、秋といってもまだ強い陽光から守られている。負傷者の間をまわって治療にあたっていた医師の一人が、アントニオのそばに来た。それまでに、重い甲冑は脱がされている。傷口からあふれでる血が、灰色のタイツを濃く染めていた。医師は、それを切り裂くよう看護夫に命じ、傷口をあらためはじめた。アントニオは、ひどい出血のせいだろうが、その後のことは覚えていない。

気がついたときは、病室のベッドの上だった。病室は個室だ。そばには、心配のあまり眼だけになったような顔をして、アントニオつきの従僕《じゅうぼく》が立っている。激痛で、下半身全体が固まってしまったような感じだった。高熱が頭をぼんやりとさせ、何にしてもしっかりと考えることができなくなっていた。

母のことが思いだされた。アントニオの母ペレッタは、アントニオが彼女の十八歳の年の子だから、まだ若い。美貌《びぼう》というほうではなかったが、美しいと人に感じさせる女だった。教養も高く、アントニオの幼時の教育は母がしたのである。それに、生そのものを体現したような女だった。彼女が部屋に入ってくると、その部屋全体が明るく変るような女だった。デル・カレット侯爵《こうしゃく》夫人は、ジェノヴァの社交界の華であった。そのような女主人を、召使たちまでが誇りにしていた。

アントニオとは一歳ちがいの長子ジョヴァンニと、アントニオからは二年遅れて生れてきたマルコの三人の男子をもつ母親だったが、そのうちの一人を特別に愛した母ではない。だが、三人のうちで最も美しく性格もおだやかなアントニオを、母は、常に身体《からだ》がふれ合うように育てた。母親の甘いやわらかい香りが、成長しつつあるアントニオを困惑させないでもなかったが、それをしばらく感じないでいると、何かが足りない想《おも》いがしてくるのだった。父親にも兄弟たちにもさして郷愁をおぼえないアントニオも、母のペレッタだけは、時折その不在を強く感じずにはいられなかった。だがそれは、心の空白というよりも、肉体の空白というしかないようなものだった。

オルシーニが見舞いに訪れたのは、夕刻も近くなった頃である。甲冑のふれあう音にうすく眼を開いたアントニオは、病室の入口をまるで額ぶちのようにして立った、まだ甲冑姿の友をみとめた。左腕には、脱いだかぶとこれも鋼鉄製の手袋をかかえている。遠慮して部屋のすみにさがった従僕の前を、ローマの若い騎士は寝床のそばまで近づいてきて、寝床の上のアントニオにもっと近寄ろうとしてか、そこに片ひざをついた。甲冑のふれあう軽い金属音が、また一瞬あたりを満たす。

「医師は、たいしたことはないと言った」

まぢかで見るオルシーニの顔は、笑っていた。身体を洗わない前に、ここに来たのであろう、顔も甲冑も、泥《どろ》と返り血で汚れたままだ。汗のいりまじった甘酸《あまず》っぱい匂《にお》いが、アントニオまでつつむ。アントニオは、無言のまま、すがるような視線を友に向けた。

ローマの若い騎士の顔からは笑いが消え、代わりに、青味をおびた灰色の眼がやさしく微笑した。そして、あいていた右手をのばし、アントニオのひたいに軽くふれた。ふれた手はそのまま髪をすべった後しばらくとまっていたが、友は、再び甲冑のふれあう音をさせて立ちあがった。

「明日、また来よう」

そして、病室から出ていった。甲冑のふれあう音が遠ざかってゆくのを聴きながら、若者は、かつて得たことのない安らかな眠りにおちてゆく自分を感じていた。

マルティネンゴ、倒れる

十月に入るや、トルコ軍の攻勢は一段と激しさを増した。戦線全域にわたる総攻撃は、もはや珍らしいものではなくなり、総攻撃の間隔は、十日を置かずにくり返されるようになった。その十日の間も、防衛側は休むどころではない。大砲と地雷の両面作戦に対処するだけで、毎日が矢のようにすぎてゆく。対処といっても、有効な方法が残されているわけではなかった。崩れた箇所の修復作業を、ただ黙々とやるだけなのだ。これがどれほどの効果を生むかを考えたりしたら、とてもつづけてなどいられない作業だった。

それでも、住民たちはよく協力した。トルコ軍に占領されたときの恐怖が、彼らの心から離れなかったのだ。動機はちがっても、騎士団と一般住民の間では利害が一致していた。ために、騎士も傭兵も、戦いに専心することができたのである。城壁や砦《とりで》の修復に必要な材料を、女たちはととのえ現場に運び、男たちは、実際の作業に従事する。すべては、技師マルティネンゴの直接の指導のもとに、困難な情況を思えば驚くほどの沈着さですすめられていた。それだけに、マルティネンゴの負傷は、防衛側にとって、騎士団長まで顔色を変えたほどの痛手となったのである。

重いかぶとなどつけていては、観察にも指令を与えるのにも不便だと言ってつけなかったマルティネンゴの右眼に、敵の矢が命中したのは、十月十一日の昼すぎであった。

杖《つえ》をつけば歩けるようになっていたアントニオが、病室の前の回廊にでていたときである。一階の入口からあわただしく入ってきた一群の男たちが、一人の負傷者を運びこんできた。あまりにまわりを多勢の人がかためているので、負傷者が誰《だれ》か、二階の回廊からはわからない。だが、騎士団でもよほど高位の騎士であろうと、アントニオは思った。運びこんできた男たちのあわてようと、中庭まであふれる負傷者の間に散っていた医師たちが、運びこまれてきたばかりの負傷者のそばにいっせいに集まったからである。この負傷者は、一階の回廊にひとまずにしても横たえられず、すぐに中庭からあがる階段をのぼって、二階の個室の一つに運びこまれた。階段を運ばれていくときに、その負傷者が身につけているのは胸甲だけで、腕も脚も鋼鉄の甲冑でおおわれていないのが、高位の騎士にしてはおかしいとアントニオは思ったが、まさか、同じ船でこの島に着いたヴェネツィアの技師とは思わなかったのである。

半ときもしないうちに、その病室には、厳しい顔をいっそう厳しくした騎士団長リラダンが、数人の騎士をしたがえて入っていった。その頃では、病院中が、技師マルティネンゴの負傷を知っていた。右眼は、血の中でかたちがなかった。視力をとりもどすなど不可能だと、医師たちは言った。ただ、生命を心配する必要だけはないということだった。

だが、このヴェネツィア共和国の市民で貴族でもない築城技師の精神力は、西欧でも最良の「青い血」をひく騎士たちを驚嘆させるに充分だった。なぐさめるのは騎士団長ではなく、マルティネンゴのほうだった。そして、このヴェネツィアの男は、そのすぐ翌日から、病室を仕事場に変えてしまったのである。

顔の半分を包帯でつつまれた姿で寝床に横たわる技師のそばには、二人の助手のうちの一人が常にひかえ、マルティネンゴに言われるまま、図面を引いたり指令書を書いたりする。もう一人の助手は、現場での陣頭指揮をまかされていた。そして、被害が起るたびに、それを報告する伝令が駆けこんでくる。マルティネンゴの病室は、この病院の中で、最も忙しい病室になった。その有様を、回廊の反対側から、アントニオは讃嘆《さんたん》と敬意にみちた想いで眺《なが》めるのだった。

しかし、マルティネンゴの負傷による損失は、彼の精神力でおぎなったとしても、やはりあらわれずにはおかなかった。それも、日を重ねるにつれて、穴は大きくなるばかりであったのである。

十月二十日、アラゴン城壁の破損がひどく、石も砂袋もまにあわないままに急ぎつくらせた木の柵《さく》で補強したところ、たちまちトルコ兵によって焼きはらわれるという不祥事が起った。マルティネンゴならば、歯をくいしばっても、やるだけ無駄《むだ》な作業に、いたずらに勢力を使うことなどしなかったにちがいない。

ロードスの城壁の破損は、病室のマルティネンゴの頭が思いめぐらせられる範囲をはるかに越えるほど、ひどくなりつつあったのである。そのうえ、スパイ捜査の網が、意外な方向に広がるという不幸も重なった。

裏切者

イギリス人の騎士ノーフォークによって極秘裡《り》にすすめられていた捜査は、十月の二十六日になって、ようやく実を結ぶことになった。幾人かの不審人物が浮びあがっていたのだが、ついにそのうちの一人が馬脚をあらわしたのだ。しかも、敵陣に向けて矢文《やぶみ》を射ようとしていた現場を押さえられたのだから、決定的だった。

現行犯は、騎士団の病院に勤める、ユダヤ人の医師だった。

ユダヤ民族は、母国を失って以来、地中海世界からヨーロッパにまで散ったが、いつでもどこでも、異邦人である境遇から離れられたことがない。いつ迫害され追放されるかわからない状態では、身ひとつで逃れても明日から食べていけるものに投資するようになるのは、当然の帰結である。ユダヤ民族が、医師をはじめとする知的な職業に子弟の教育を重視するようになるのも、この傾向の典型的なあらわれであった。また、長期にわたって、この種の投資が継続的に意志的になされれば、優れた才能が生れるのも確率の問題にすぎなくなる。中世、ルネサンス時代を通じて、医師階級からユダヤ人をはずしては、階級そのものが成りたたないほどだった。これは、キリスト教世界でもイスラム世界でも変りはなかったのである。

聖ヨハネ騎士団は、医療活動と軍事活動の二つを、騎士団の基本的な任務として発展してきた組織である。軍事を担当するのは騎士たちだが、医療活動は、騎士以外の人間に頼らねばならない。西欧有数の名家出身の者にして医師をこころざすなどという傾向は、当時ではまったく見られなかった。土地所有を基盤にした支配階級の存在しないヴェネツィアのような国で、商工業で大をなした都市貴族の子弟に、しばしば医学をこころざす者がでたが、こちらのほうが例外に属したのである。このような状態では、キリスト教を前面にかかげた宗教騎士団の病院の医師たちが、全員ユダヤ人であったのも、不思議でもなんでもなかった。これらユダヤ人の医師たちは、彼らの技能を買われて働いていたのである。信教がなんであろうと、問題にされることもなく、また、問題にしていたら病院が成りたたなかった。

ただし、ユダヤ人は、いかに才能すぐれた者でも、軍務にはつかされなかった。彼らに殉ずる祖国のないことが、信用されなかったのである。聖ヨハネ騎士団でも、軍事上のことはなにひとつ、医師たちには知らされなかった。

それなのに、矢文には、騎士団保有の弾薬から使用可能な大砲の数まで、明記されていたのである。これでは、現行犯一人を捕えただけで、満足するわけにはいかなかった。

拷問《ごうもん》にかけられたこのユダヤ人の医師は、共犯がいることを白状した。それも、共犯ではなく、自分は単なる使い走りにすぎないと言った。ある人物から命令されて、その人物の与える情報を、敵に伝えたにすぎないというのである。その人物として彼が名指したのは、ディアスという名の男だった。

ディアスが捕えられ、早速拷問にかけられる。この男はポルトガル人で、騎士団では団長に次ぐ地位にある、カスティーリア騎士館長アンドレア・ダルマールの従僕だった。ディアスは、拷問がはじめられてまもなく、簡単に白状した。たしかにユダヤ人の医師のところにはしばしば手紙をもって行ったが、それは主人の命令を受けてやったまでで、自分は手紙の中身も知らない、と言うのである。

ここにいたって、騎士団の首脳陣は顔色を変えた。恥ずべきスパイが、自分たちの仲間の一人であること。しかも、騎士団中第二位の地位を占め、首脳会議には必ず出席するほどの人物であること。貴族の誇りと異教徒撲滅《ぼくめつ》の使命感をよりどころとする聖ヨハネ騎士団の騎士が、あろうことかキリストの敵トルコに内通していたということ。これらすべてが、騎士たちを絶望と怒りと悲しみに突きおとしたのであった。

十月二十八日、ダルマールは逮捕され、海の上に張り出た砦、聖ニコラの要塞《ようさい》の最上階の部屋に連行された。そこで、尋問も行われた。だが、ポルトガルの騎士は、ひとことも答えない。拷問が加えられたが、黙秘をつづけるのを変えさせることができなかった。まるで、なにを言っても無駄だとでも思っているかのように、ひとことも話さない。抗弁もしない。ディアスが連れてこられ、彼の面前で自白をくりかえしたが、そのとき、

「おまえは、臆病者《おくびょうもの》だ」

と言っただけだった。

ダルマールを不利にする証言は多かった。

彼がまだ中堅の騎士であった時代、艦隊の指揮を現騎士団長のリラダンとともにまかされていて、その頃、戦術上の問題で二人の意見が合わないことが多かった、と言う者がいた。また、リラダンが騎士団長に選ばれた選挙では、ダルマールが有力な対抗馬であったのだが、選挙に敗れたダルマールの口から、

「リラダンは、ロードス島を本拠とする聖ヨハネ騎士団の最後の団長になるだろう」

という言葉がもれたのを聴いたと、証言する者もいた。このポルトガルの騎士には、日頃《ひごろ》

から態度ふるまいに他人を拒絶するようなところがあり、閉鎖的な性格もあって、騎士たちの人望はあまりなかったのである。

しかし、確実な証拠がまったくない。だが、黙秘をつづける態度が、籠城《ろうじょう》戦で消耗している騎士たちの心を、刺激しないではすまなかった。

十一月三日、首脳会議は、全員死罪に処すことを決議した。医師と従僕は絞首刑、騎士は、斬首《ざんしゅ》と決まった。

十一月四日、騎士団長居城前の広場で、三人の刑が執行された。三人の最後に刑に処されたダルマールは、司祭のすすめる最後の告解《こくげ》も拒絶し、キリスト者としての祝福も与えられないままに死んだ。最後まで、ひとことも言葉を口にしなかった。

だが、騎士団の全員が、この判決に納得していたわけではない。反証がないままに誰もが沈黙していたが、胸の中では、ほんとうに彼がしたのかという疑いを捨てきれない者が幾人かいた。その一人が、オルシーニである。病室を訪ねてきた彼に、アントニオは、部屋に二人だけであるのをたしかめた後で、小声で聞いてみたことがある。ローマの若い騎士は、アントニオの顔に静かな視線をそそいだ後で、やっと、

「わからない」

と言っただけだった。

裏切者の首は、三つとも、彼らが敵と内通する場所として使っていた、聖ジョルジュの砦の前面に敵に向けてつるされ、身体は、四つ裂きにされた後で焼かれた。トルコ側が、これをどのように受けとったかを知らせてくれる、史料はひとつも残っていない。

南の島ロードス島も、雨季に入りつつあった。

キリストに捧《ささ》げた死

聖ヨハネ騎士団では、戦死であろうと病死であろうと、また行方不明の場合でも、騎士の名は公式の記録には残らない。ただ、何月何日、何名の騎士がキリストの許《もと》に召された、と記録されるだけである。例外は騎士団長で、それ以外は高位の騎士でも、しばしば名前さえ残っていないことがある。家族のもとには通知は送られる。墓碑も、つくることはできる。だが、これも、騎士団の公式な義務ではない。家族や友人たちの、葬《とむら》いの想いのあらわれにすぎない。しかも、これとても平時であってこそできることで、戦時ともなると、戦いが終って静かなときを迎えでもしないかぎり、やれないのが普通だ。今でもロードス島には、騎士たちの墓碑がいくつか残されているが、それらは、戦いで倒れた後に墓碑をつくれる余裕に恵まれた騎士のもので、それをもてなかった騎士も多かったのであった。

この慣例は、聖ヨハネ騎士団の騎士たちが、修道院の修道僧と同じく、神とキリストのために一生を捧《ささ》げた者とされていたことに由来する。キリストのための死ならば、名を記録に残すことのほうが不敬になる。名を捨てて神のしもべになった身は、死ぬときも名はない身で死なねばならなかった。

死んだ騎士の使っていた、西欧有数の名家の紋章のきざまれた銀食器や、同じ紋章が美しく刺繡《ししゅう》された敷布やベッド・カヴァーは、病院に移されて患者の使用に供される。だが、これらも、いつかは消耗して使用に耐えられなくなるときがくる。そのとき、それらのかつての持主も、永久に消えるのだった。

聖ヨハネ騎士団ではまた、何月何日に何人死んだということさえ、正確に記録されないことがしばしばあった。それは、記録に残すという行為が、この種の人々にとっては、たいして重要な意味をもたなかったからにちがいない。

記録に残すということは、後になんらかのかたちで役立てようと思うからするのである。役立つと思えるからこそ、詳細に記録する気持にもなるのだ。イタリアの都市国家のヴェネツィアやジェノヴァやフィレンツェが、当時では最も正確で詳細な史料を残してくれた理由は、なにも、後世の歴史研究に役立てようとしてではない。通商や金融や工業が経済の基盤であったこれらの国々にとって、最新の情報を得ることも重要だったが、それらを詳細に正確に記録して残すことも、情報の蓄積という視点からすれば、重要このうえないという認識がゆきとどいていたからである。これらの国々では、一見関係ないと思えることですら、記録するのが気質になっていた。

一方、聖ヨハネ騎士団のような組織は、経済的論理とは無縁の組織である。財政上の基盤は、寄進による不動産とそれからあがる収益と、異教徒相手とはいえ海賊業による収入におかれており、構成員も、貴族の子弟の誇るべき選択とされていたから、勧誘して増やすたぐいのものではない。そのうえ、名を捨てることが建前となっていれば、記録の意味はますます薄くなる。このような組織の構成員を個人として追うなどは、この中の誰かが残した、私的な記録によるしかないのである。

貴族の血が、とくに封建君主である貴族の血が流れていないことには資格のない騎士たちの集まりである聖ヨハネ騎士団では、たとえ総力をあげて戦った戦闘でも、攻防戦中にいったい何人の騎士が死に、何人の騎士が生き残ったかさえ、正確に把握《はあく》することは不可能になる。もしも一人のヴェネツィア人が参戦していたなら、一人のフィレンツェ人が加わっていたならばと思うが、これらの商人国家の人間には、騎士になる資格がないのだった。マルティネンゴは、ヴェネツィア共和国領ベルガモの生れであって、生粋《きっすい》のヴェネツィア人ではない。アントニオ・デル・カレットも、ジェノヴァ近くの土地所有の貴族の出身であって、商人の血は流れていなかった。それでもこの二人は、コンスタンティノープル攻防戦を詳細に記録したヴェネツィアの医師ほどでなくても、私信というかたちながら、まずは記録を残したのだった。

それに、記録を残すという行為は、無意識にしても、明日を考えるから行えることである。明日を考えるという意識は、健全な精神のあらわれでもある。聖ヨハネ騎士団は、それを創設当初よりもっていなかった種類の、組織の一つであったのかもしれない。


十一月も日がすすむにつれて、トルコ軍の攻勢も、加速度的に激しさを増してきていた。

ローマでは、新法王アドリアーノ六世が、戴冠《たいかん》はしたものの、枢機卿《すうきけい》会議さえ満足に開けない状態にあった。ペストが流行して、枢機卿たちが郊外の別荘に逃げてしまったからである。法王はローマでがんばっていたが、後ろだてのない外国人の法王では誰も相手にしない。西欧の君主たちも、法王の座が事実上の空位であるのをよいことに、自分たちの利益をめぐって争っていた。

その頃、クレタからのヴェネツィアの援助が、秘《ひそ》かにロードスに到着した。中立を宣言している以上、私的な商船にしたてて、兵糧《ひょうろう》を運んできたのである。これは、防衛側をおおいに力づけたが、同じ船は、不幸な知らせも運んできたのだった。

騎士団本部の呼びかけに応じて、イギリスの支部がととのえ、武器弾薬を満載して送りだした船が、イベリア半島に達したところで嵐《あらし》に出会い、積荷も援軍として乗りこんでいたイギリスの騎士たち全員も、沈没した船と運命をともにしたという知らせである。ヴェネツィア船は、それ以外には、救援の船が出発したとも航行中とも、情報は受けていないということだった。

十一月二十二日、それでも技師マルティネンゴが退院し、六週間ぶりに戦線に復帰した。だが、彼の現場復帰が情況を好転させるには、ロードスの城壁の破損は、あまりにも絶望的な状態になっていたのである。アントニオは傷も治り、十一月のはじめにはすでに戦線に復帰していた。戦線にもどった若者の見たものは、いまや半ば崩れた外壁に陣どって、そこから砲撃を加えてくるようになった敵であった。

第六章　一五二二年・冬

ゆれ動く人々

地中海世界でもヨーロッパでも、冬季は戦闘の時期とされていない。雪のほとんど降らない地中海世界でも、雨は降るからである。戦争の季節は春から秋にかけてとされていて、その季節は乾季でも、疫病《えきびょう》に見舞われる危険があった。大軍の包囲が、疫病の発生によって一朝にして解かれるという例も少なくない。それでも、雨の降る中で戦うよりは、耐えやすかったのであろう。冬に入っても戦闘続行ということには、ほとんどといってよいくらいならなかったのである。

騎士団側の希望も、そこにあった。冬季に入れば、雨が降る。風も、南か南西の風に変る。海も、荒れ気味だ。砲撃もより困難になるだろうし、ロードスと小アジアの港を結ぶピストン輸送作戦も、夏のようには都合よくゆかないであろう。当然、トルコ軍の物資は不足してくる。十万を越える大軍なのだ。不足を簡単におぎなう方法はない。結局、艦隊だけを封鎖に残しておいて、陸軍は小アジアに引きあげ、そこで春待ちをするしかないだろう。その間に防衛側は、城壁修復のための時間ももてるし、救援船の到着も期待できる、と。

だが、二十八歳のスレイマンの、この機にことを決しようという意志はかたかった。彼は、防衛側の実情に、相当によく通じてもいたらしい。それに、ロードス島の気候は、ドルチェ（甘い）なのである。雨は降っても強雨型で、ぬかるみも、我慢しているうちに乾く。雨の被害をこうむるのは防衛側とて同じことで、トルコ軍が砲台の安定に苦労すれば、防衛軍は、城壁の修復作業の困難に直面する。八月、九月、十月、十一月と、これまでの四カ月間の攻撃で防衛側に与えた、人間と城壁双方の損失の量を考えれば、ここで一気にことを決したいというスルタンの意志も、彼の配下の将たちの気持に反するものではなかった。戦闘続行で、トルコ全軍はまとまっていたのである。

騎士団側も、日々の激闘で、トルコ側のこの意志を悟らずにはいなかった。十一月も終りに近づくと、ロードス以外の騎士団の基地から、騎士や兵を乗せた船が次々とロードスの港に入ってくるようになった。それまで、コスやボドルムやリンドスを守っていた人々である。ついに騎士団長が、命令をくだしたのだった。本拠ロードスの防衛に、危機感を隠せなくなったのである。西欧への救援要請の船も、ほとんど一カ月に二回の割合で送っているのだが、それに応じてロードスに到着したのは、ナポリからの二船だけだった。

ときに降る強雨の中でも、トルコ軍の地雷は、実直に爆発するのをやめなかった。雨の降った後の修復作業は、一段と困難をきわめる。ロードス島民だけにまかせておくこともできなくなり、騎士も兵も、土木作業に手を貸したあげく、闘うときに疲労がぬけていないという有様だった。

トルコ側の死者も、捕えた捕虜の証言では五万を越えているということだったが、防衛側も、細くてもいつまでも止まらない出血のように、確実に戦力が減少していた。本格的な防衛体制に入った七月から数えれば、五カ月がすぎているのである。攻防戦がはじまってからならば、四カ月だ。これほども長期の籠城《ろうじょう》は、しかも城塞都市として一般住民をかかえながらの籠城は、誰も前例を思い出せないほど珍らしかった。食糧は一年の籠城を目安にして貯《たくわ》えてあったので、まだその面では危機感はなかったが、武器弾薬の不足は目立つ。そして、精神面の疲労は、おおうべくもなくなっていた。とくに、トルコ軍に冬期休戦の意志がまったくないとわかった頃から、人々の気持の張りが、一瞬にしてたち切られたような感じだった。

十一月二十九日に行われた、誰もがしばらく考えなければ正確な答えをだせないほどくり返された総攻撃の一つが終った日の夕刻、敵陣から一本の矢文が射られてきた。それは、スルタンからロードス住民にあてた親書で、降伏をすすめたものだった。抵抗をこれ以上つづけるようでは、落城後の皆殺しを覚悟してもらわねばならぬ、とあった。

十二月四日、今度は、なんの理由でかトルコ陣営にいる一人のジェノヴァ人が、白旗をかかげてオーヴェルニュ城壁前の堀の中までおりてきて、騎士団長と話したいと大声で言った。そして、城壁の上に姿を見せたリラダンに向い、住民の命を救うためにも名誉ある降伏を受けいれるよう、スルタンがすすめている、と言った。騎士団長の答えは、去れ！　の一言だった。

十二月六日、再び同じジェノヴァ人が姿をあらわし、今度は、防衛側にいるジェノヴァ人のマッテオという名の男に手紙をわたしたい、と望んだ。城壁上の兵は、手紙だけよこせ、と答えた。矢に結びつけられて送られてきた手紙は、ジェノヴァ人マッテオあてのものではなく、スルタンから騎士団長にあてた親書だった。内容は、二日前にジェノヴァ人が口頭で伝えたのと同じである。リラダンは、返書も送らなかった。

十二月八日、敵陣に最も近く位置する聖ジョルジュの砦《とりで》から、敵陣に向って逃亡したアルバニア人の傭兵《ようへい》が、スレイマンからリラダンにあてた親書を、誰か防衛軍の一人に手わたしたいと、堀の向う岸に立って叫んだ。このときは、防衛側は、手紙だけ送れとさえ言わなかった。以後、城壁でも砦でも、敵陣の者と話すことは厳禁された。

しかし、住民たちは動揺していた。降伏をすすめる手紙が送られてきた間も、攻撃は中断されたわけではないのである。あいかわらず、計画を細部まで実行する実直さで、砲撃と地雷と、いまでは日常茶飯事となった感さえある、城壁上での白兵戦はつづけられていた。

ロードスの市街にいる住民は、三つに分けられた。カトリック教徒である少数の西欧人と、多数のギリシア正教徒と、地中海世界ならばどこにもいるユダヤ人の小集団である。

少数のカトリック教徒も、そのうちの大半はジェノヴァ人で、他は、フランスやスペインやヴェネツィアの商人だった。西欧人とはいっても、彼らの多くは、百年以上もこの島に住みつき、ここを基点にオリエントでの通商に生きてきた人々である。本国とよりも、ロードスとのほうに強いつながりを感ずる人々だ。彼らも、ギリシア人やユダヤ人とは、聖ヨハネ騎士団の騎士たちと同じ死の理由をもっていないということで共通していた。

住民たちは、騎士たちがイスラム教徒から自分たちを守ってくれていたから、防衛にも協力を惜しまなかったのである。だから、それが不確かになった今、防衛に協力する理由もなくなったことになる。当時の支配階級と被支配階級の関係は、この基盤がしっかりしている間は機能していた。

それに、ギリシア人やユダヤ人にしてみれば、広大なトルコ帝国にとりこまれた地方でも、生きのびている同胞たちがいるのである。それが、にわかに思い出されるようになったのだった。また、スルタン・スレイマンが、無用な暴力を嫌《きら》い、いったん約束したことは必ず守る君主であるという評判が、降伏にかたむきはじめた人々に理由を与えた。住民たちのこの気持の変化は、彼らの中の有力者によって、ロードスのギリシア正教の主教に伝えられる。

十二月九日の夜、騎士団長居城では、首脳会議が開かれていた。外は、嵐《あらし》が吹きまくっている。いつもの列席者の他に、その夜は、ロードスにいるカトリックの大司教とギリシア正教の主教、それに二人の住民代表も出席していた。

二人の代表のうちの一人はギリシア人で、全島一の大地主である。もう一人はヴェネツィア領のベルガモ出身の男で、名をミレージといった。この男はごく若い年からロードスに住みついているのだが、ここ十数年間というもの、騎士団の財政を一手ににぎってきた男である。西欧各地にある騎士団所有の不動産からあがる収益を集めてまわるのもこの男だったし、騎士たちが海賊業で獲得した積荷を売りさばくのも、ガレー船の建造費の支出も、武器弾薬から小麦の購入まで、すべてを彼がうけもってきたのだった。騎士団の内情を知りつくしているこの男の前では、騎士道的な大言壮語は失笑を買うだけである。そのためか、首脳会議での討議も、感情的な激論がたたかわされても当然な場合なのに、不思議にも冷静な雰囲気《ふんいき》のうちにすすんだ。

ギリシア正教の主教は、住民たちの気持を説明した。住民たちは、騎士団があくまでも開城勧告に応じない場合は、自分たちだけでスルタンと交渉するつもりでいるということだった。ミレージも、住民たちの決心がもはやひるがえすことなど不可能なほどにかたまっていると、言葉をそえた。そして、スルタンの申し入れてきた名誉ある降伏とは、防衛側は望めば島を去ることを許される意味であろう、と言った。彼自身は、トルコの支配下に入るロードスに残る気持はなかったのである。ミレージの考えは、ロードスに定住して長い他の西欧人の気持を代表していた。

だが、ただ一人、確固とした口調で、徹底抗戦を主張した男がいた。オーヴェルニュの騎士で、団長秘書官のラ・ヴァレッテである。彼の抗戦理由は、ロードスを捨てては、たとえ生きのびようとも、騎士団の存在理由が大幅に失われることを避けられない、というものだった。

聖ヨハネ騎士団は、法王庁とよく似た構成になっている。団長を選ぶまでは実に堂々たる選挙を行い、多数決の論理が支配するのだが、いったん決まれば、すべての最終決定権は団長に帰す。選ばれる前も選ばれた後も多数決に左右されるヴェネツィア共和国の元首と、この点が完全にちがっていた。聖ヨハネ騎士団でも、討議を交わしはするが、最後は団長が決定をくだし、他はそれに「服従」するのである。それだけに、責任感の強い団長であればあるほど、苦悩も深くなるのだった。

騎士団長リラダンは、しばらく黙っていた。その間、発言する者はいなかった。だが、ようやく沈黙を破った団長は、二つの相反する意見には直接に答えず、現状下での防衛力と外からの支援の可能性の二つを、客観的に正確に分析し調査するよう命じた。そして、決定は、それらを充分に検討したうえでくだしたい、と言った。その夜は、これで散会した。嵐は、かなり静まったようだった。

聖ヨハネ騎士団は、二百年このかた考えもしなかった選択を迫られたのである。異教徒と闘うことを、存在理由としてきた騎士団である。それをまっとうしようと思えば、この期《ご》にいたっては玉砕しかない。住民の意向など無視して、騎士団だけでも、最後の一兵になるまで闘いつづけるしかない。イスラム教徒と協約を交わした末生きのびるなどという不名誉なことを迫られるとは、ロードス島を本拠として以来、考えもしないですんだことなのであった。騎士団とて、ときにトルコ人と、平和裡《り》に対しあったことはある。だが、それは、ロードスでは不足で小アジアではありあまっている小麦の輸入契約か、捕虜の交換のときくらいであって、負い目など感ずる必要のない関係だった。

聖ヨハネ騎士団は、これまでことごとに軽蔑《けいべつ》してきたヴェネツィア共和国と、同じ選択を迫られたのである。金もうけのためならばキリスト教徒としての節操を捨ててかえりみない奴《やつ》ら、と騎士団は、ヴェネツィアがトルコと平和条約を交わすたびに非難し、ヴェネツィア国籍の船ならば商船でも、トルコ船を襲うと同じに襲撃し、積荷は奪い、乗船客からは身代金をとりたてていたのである。イスラム教徒と協約を交わす者は、たとえキリスト教徒であってもキリストの敵と同じである、としてきたのであった。それを今、騎士団の存続ということを無視しないかぎり、自分たちが踏襲するはめになったのである。彼らの頭には、いま改めて、聖ヨハネ騎士団だけが宗教騎士団として残っていることが思い出された。イスラムを敵とすることで生きていた人々が、苦悩せざるをえなかったのはこの点にある。住民の命を救うということなど、彼らからすれば第二義的な問題にすぎなかった。

城壁の内部で起ったこの動揺を知ってか知らずしてか、スルタンは、親書作戦をつづける。

十二月十二日、陸側に二つだけ開いている城門の一つ、コスクィーノ砦から堀を越えて通じている門の前に、位の高いらしい二人のトルコ人が立ち、スルタンの親書を手わたしたいと告げた。防衛側は、攻防戦の間厳重に閉じられていたこの門を、少しばかり開ける。二人の騎士がそのすき間から外に出て、トルコ人二人と対した。トルコ人は騎士に手紙をわたし、騎士たちはそれをもって中に入り、城門は以前と同じく厳重に閉められた。

とどけられた親書を読んだ騎士団長は、首脳会議を召集した。出席者は、住民代表二人とギリシア正教の主教をのぞいた他《ほか》は前回と同じ顔ぶれだが、今回はそれに、各言語別の騎士館の副館長も招《よ》ばれている。

リラダンはその席上で、スレイマンの親書の全文を読みあげた。それには、騎士団の騎士全員と住民の中で望む者の、島外無事退去を認めることが開城の条件としてあり、もしもあくまでも開城を拒否しつづけるならば、落城時の全員殺戮《さつりく》は避けられぬ、とあった。

団長が命じた、武器弾薬と兵糧《ひょうろう》の貯蔵量調査は、食糧はまだ数カ月の余裕があるとの報告だったが、弾薬は一カ月ももたないと告げられた。首脳会議の雰囲気は、明らかにとはいかなくても、開城に傾きかけていた。

和平の試み

騎士団長は、とりあえず三日間の休戦を敵に申し入れよう、と言った。二人の特使が選ばれた。一人は、オーヴェルニュ出身の騎士で、ギリシア語の堪能《たんのう》なこと騎士団中随一といわれた男である。他の一人は、オルシーニだった。トルコの高官には、イタリアの通商都市国家との密な関係から、イタリア語を話す者が少なくなかったからである。スルタン・スレイマン自身、ギリシア語はもちろんイタリア語も解するということだった。特使派遣が決まったのは深夜だったが、このことはただちにトルコ軍に告げられた。受けるという答えも、その夜のうちに送られてきた。

翌十三日、五カ月ぶりに開かれたダンボアーズ城門をくぐって、二人の騎士はトルコの陣中に入った。同時に、コスクィーノ城門からは、アーメッド・パシャの甥《おい》ともう一人のトルコの高官が、城壁内に入ってきた。トルコの二人の人質は、コスクィーノ門の上にある部屋に通され、ここに、二人の騎士がもどってくるまでとめおかれる。トルコ陣中に入った騎士二人のほうは、大臣の一人アーメッド・パシャの天幕に迎えられる。アーメッド・パシャが、開城に関する交渉を、スレイマンの指示をあおぎながら実際にすすめることになっていた。

アーメッド・パシャは、勝利を目前にした者の余裕か、二人の騎士を礼をつくして歓待した。また、なぜかオルシーニをひどく気にいったふうで、交渉が終っても二人をひきとめ、夜更《よふ》けになるまで寝所に解放してくれなかった。

この歓談の席で、二人は知ったのである。トルコ軍の戦死者は、この四カ月余りの間に、実に四万四千に達していたこと。そして、それとほぼ同数が、病死や事故死で死んだことも。爆発した地雷だけでも、五十三発。砲弾は、八万五千発を使ったということだった。これには、普段冷静なオルシーニも、眼を丸くせずにはいられなかった。トルコの大臣の話では、スルタンの確固とした意志だけが、膨大な損失にもかかわらず、攻防戦の続行を可能にしたということだった。スルタンじきじきの参戦は、やはりそれなりの効果はあったのである。

十二月十四日、城壁内にもどる二人の騎士に代わって、これは休戦中の人質としての役目だけもって、二人のスペイン人の騎士がトルコ陣中に向った。

オルシーニともう一人の騎士がもちかえった条項は、ただちに開かれた首脳会議で検討した。スレイマンは、開城するならば、次の条件厳守を約束する、と言ってきたのである。

一、騎士団は、もって出たいと思うものすべてを、聖遺物も軍旗も聖像もすべて、島外にもち出る権利を有する。

二、騎士たちは、自らの武具と所持品ともども、島外に退去する権利を有する。

三、これらの運搬に騎士団所有の船だけでは不足の場合、トルコ海軍は、必要なだけの船を提供する。
四、島外退去の準備期間として、十二日間を認める。
五、その期間中、トルコ全軍は、戦線より一マイル後退することを約束する。
六、この期間中に、ロードス以外の騎士団の基地をすべて、開城する。
七、ロードス住民の中で、島を去りたいと希望する者には、向う三年間にかぎり、自由に退去を許す。
八、反対に残留と決めた者には、向う五年間にわたって、トルコ領下の非トルコ人の義務となっている、年貢金《ねんぐきん》支払いを免除する。
九、島に残るキリスト教徒は、完全な信教の自由を保持する。
十、ロードス在住のキリスト教徒の子弟は、これまでのトルコ帝国の慣例に反して特別に異例を認められ、イエニチェリ軍団の兵士予備軍として徴集されない。

会議の雰囲気は、もはやはっきりと開城に傾いていた。後半に記された住民への約束事項は、ギリシア系住民からほとんど歓喜で迎えられたし、前半の項目、とくに第一と第二の項目は、武装解除を要求していないところから、騎士団の古強者《ふるつわもの》の間でさえ、名誉ある降伏と受けとられたのである。ただ、騎士団長は、まだ首をたてにふる気になれないらしかった。

ちょうどその頃、クレタから再び、救援物資を積んだヴェネツィア船が秘《ひそ》かに入港していたのである。こうしている間に、休戦の期間はいたずらに経過し、結論の出されぬままトルコ人二人の人質は、コスクィーノ門から送りだされ、トルコ軍からも、人質の二人のスペイン騎士がもどされてきた。

それでもまだトルコ軍は一日待ったが、十二月十六日になって、砲撃を再開した。防衛側も応戦する。さすがに臨戦体制が通常であった聖ヨハネ騎士団の騎士たちだけに、敵との和平交渉があったことなど忘れたかのように勇敢に闘った。ただ、住民側の戦闘員たちの中で召集に応じた者は、四日前よりは極端に減っていた。

十七日、攻防戦はこの日もつづけられた。同じ日、クレタからまたも小船が入港した。しかし、この船は、騎士団長が最後の頼みのつなとしていたナポリでの二隻の準備が、いっこうに進んでおらず、いつ出港できるかわからない状態にあることを伝える、騎士団のイタリア支部からの手紙を運んできた船だったのである。

死

十二月十八日、激闘は、すでに半ばまで破壊されたアラゴン城壁を中心にして、戦線全域で展開された。だが、トルコ軍の攻撃が、条約交渉前と一変していた。トルコ軍は、自軍の兵士を送りこんでいる間にも、同じ城壁への砲撃をやめなかったのである。味方の兵が、背後からの砲撃を受けて飛び散っても、砲撃はつづけられた。

イエニチェリ軍団も投入され、いよいよ激戦の中心となったアラゴン城壁には、騎士団長の命令で、他の城壁を守る騎士たちも応援に駆けつけた。イタリア城壁からは、十人がおくられる。アントニオもオルシーニも、その十人の中にいた。

騎士団長も、遊軍を率いて第一線に立つ。アラゴン城壁は、全戦線でここだけが内側に深く切りこんでいるので、ここを破られたら、敵は一挙に市内になだれこむ危険があった。

戦闘は、午後になっても終らなかった。堀の中はトルコ兵の死体で埋ずまり、イエニチェリ軍団の兵士たちが、それらを踏みつけて城壁の破れた箇所から這《は》いのぼる。小銃も弓矢も、用をなさなかった。剣だけの闘いがつづいた。

夕刻も近くなった頃《ころ》だった。白兵戦がくり広げられていた城壁の上を、砲丸が直撃したのだ。それも、二発一緒に同地点に落下した。石塊《いしくれ》と砂袋を積み重ねて補強してあったその箇所が、すさまじい土煙りとともに崩壊したのは一瞬のことだった。アントニオも放《ほう》りだされた一人だったが、土煙りが静まった後に見たものは、石と土砂の間に動かない多勢の敵味方の兵だった。アントニオの着けていた甲冑《かっちゅう》の、右腕の部分がどこかにとんでしまってなくなっている。砲丸の打撃がすさまじかったためか、その一帯だけ、戦場とは思えない静けさが支配していた。

よろよろと立ちあがったアントニオは、右手に持っていた剣を、まず思い出した。剣は、三メートルは離れたところに落ちていた。それを拾いにいったアントニオは、剣を再びにぎりしめながら、オルシーニのことをはじめて頭に浮べた。彼のすぐわきで、いつものように余裕を見せながら、二人のイエニチェリ軍団の兵と闘っていた友のことが思い出されたのである。ようやくはっきりしてきた彼の頭の中は、たちまち、怖《おそろ》しい想像でいっぱいになった。

若者は、もう何も考えなかった。無惨《むざん》な石塊の山と化した城壁の上を、這いずりまわるようにして友を探した。オルシーニは、十メートルほど離れた石塊の山のかげにいた。左半身が、石塊の中に埋ずまっている。それでも、駆けよったアントニオの呼びかける声に、わずかながらうなずいてみせた。

アントニオは、石の塊をとり除くことをはじめた。一つ一つ、除いてはわきに投げる。急いでやったつもりだったが、オルシーニの顔色は、その間にも変化が見えるほどに変っていた。もはや、両眼は閉じられたままだった。砲撃で飛び散った石塊に、下半身から背骨までつぶされていたのだ。押しひしがれた鋼鉄の甲冑が肉に突き刺さり、石塊の山から自由にした後も、ローマの若い騎士の身体《からだ》中から赤い血が流れ、下の土を黒く染めて広がった。

アントニオは、なにもできないことを感ずるしかなかった。ただ、友の肉体を圧迫している甲冑を、脱がせたいとだけ思った。下半身も上半身も脱がせ終っても、オルシーニは、消えいるようではあってもまだ息をしていた。アントニオは、かぶとを脱がせた後の友の亜麻色の髪につつまれた頭を、そっと両腕にいだいた。友は、その時一瞬だけ眼を開けて、自分を見たような気がした。そして、くちびるの左はしをわずかにまげる、彼を知っている者にとってはかぎりなく優しい、だが彼を理解しない者にはただの皮肉な笑いとしかうつらない、いつもの微笑を浮べたのが最後だった。亜麻色の髪がぐらりとゆれ、ローマの騎士は、二十五歳の生涯《しょうがい》を終えた。

一時の静けさは、再び両軍の兵のあげる喊声《かんせい》で破られていた。アントニオは、腕にいだいていた友の頭をそっと下におろし、剣をふるって敵兵に向っていった。

若者は、このとき、五カ月におよぼうとする攻防戦中はじめて、トルコ兵に対して、そして運命に対して、胸の底からわきあがってくる怒りを感じたのだった。

激戦は、日没と同時に終った。トルコ軍は、多勢の戦死者をそのままにして、潮の引くように去っていった。城壁の上のトルコ兵の死体は、生き残った人々が堀《ほり》の中に投げこんだ。味方の死者は、城壁の内側におろされ、死んだ騎士の遺体は、それぞれの従僕《じゅうぼく》たちの手で洗われ、騎士の制服をつけられ、聖ヨハネ教会の中に並べて安置される。いつもこのようにされ、大司教が行うミサの後、教会の床の下の墓所に葬《ほうむ》られるのだった。葬《とむら》いのミサには、手のぬけない騎士以外は、全員が出席する。アントニオも、教会の床に横たえられた遺体の列を囲むようにして立つ、騎士たちの中にいた。

しかし、若者は、大司教の祈りの声を聴いていなかった。一メートルほど離れたところに横たわっている、オルシーニの遺体だけを見ていた。

いつもほのかな赤味をただよわせていたくちびるは、いまでは土色に変っていた。だが、アントニオには、その土色が、眺《なが》めているうちに少しずつ赤味をとりもどしてくるように思えた。

いつだったか、負傷して病院に収容されていた頃のことである。高熱のためかうたた寝していたアントニオは、首すじにふと、なにかがふれるのを感じた。浅い眠りの中にただよいながらも、若者は、目覚めてそれが消えてしまうのが惜しい気持で、ただされるがままにまかせていた。彼には、それが誰だかわかっていた。わかっていたというより、ある人であってくれたらという想《おも》いで、身体のどこも動かす気になれなかったのだ。

オルシーニのくちびるは、しばらくの間、アントニオの首すじから胸へと移っていった後、はじめて離れた。そのときになって、アントニオは、何か言おうとした。だが、言葉にならない前に、それは、激しい接吻《せつぷん》でさえぎられてしまった。その日から、二十歳と二十五歳の若者の間には、二人だけがともにもつ情感が交わされるようになったのである。それは、アントニオにとってははじめての、だが、二十歳の今になるまでかつて一度も味わったこともないほどに美しい、生きることの一面であった。

教会の中のアントニオの左手は、あるものをにぎりしめていた。オルシーニの遺体が洗われたときに、従僕の眼を盗んで友の首からはずしたものである。女持ちの小さな十字架で、それをオルシーニがいつも身から離さなかったのを知っているのは、同僚にはいないにちがいなかった。小さなルビーの列が十字をかたどるこの十字架は、オルシーニの母が、二十歳でロードス島に発《た》つ息子に与えたものだった。その母は、その後二年もしないで世を去ったという。アントニオはそれを、自分のために盗んだのではない。ある人に、もって行こうと決めていたのだった。

葬いが終った後、アントニオは、イタリア騎士館にはもどらず、聖ヨハネ教会のわきを通って市街にくだる小路《こうじ》を一人選んだ。オルシーニが住んでいた家の扉《とびら》はかたく閉まっており、内部に人のいる気配もしない。それでも、アントニオは、扉についている鉄輪で強くたたいた。しばらくして、扉は内側から開かれた。あのギリシアの女が立っていた。女の全身をつつむ強い雰囲気から、女はすでにオルシーニの死を知っていると、アントニオは感じた。従僕が知らせたのだろう。ギリシアの女の表情は、彼女の胸の内をうかがうことを拒絶するように固かった。そして、眼も、涙でやわらげられた様子は見えなかった。アントニオは、自分も一度も涙を流さなかったのを、そのときになって思い出した。

若者は、黙って、左手ににぎりしめていたものを、前にさしだした。女も、黙って、それを受けとった。女は、最後まで一言も言わず、扉を閉めた。

翌十九日も、トルコ軍の攻撃はやまなかった。その日は、アラゴン城壁にとどまらず、イギリス城壁の上でもイタリア城壁の上でも、白兵戦がくり広げられた。騎士団長も、最前戦で陣頭指揮に立つ。それでいて敵の矢も弾もかすめもしないのは、神の特別の御加護でもあるのかと、人々は噂《うわさ》した。

イタリア城壁では、デル・カレット砦に、敵の攻撃が集中していた。敵味方とも、抜き身の剣だけが頼りの闘いだった。激闘の三時間がすぎようとする頃、砦を守っていた騎士たちは、砦の下から外壁に通じている通路に、騎士が一人立ちふさがり、群らがる敵兵に対しているのが眼に入った。

無謀な、と誰もが思った。だが、呼びもどす手段はなかった。砦の下の扉は、なぜあの騎士が外部に出られたのかと思うくらい、厳重に閉ざされていたからである。砦の上からでは、砲撃音で声がとどかなかった。何者かしれないその騎士は、敵中に一人とどまった。

槍《やり》を使うその騎士のまわりを、トルコ兵が囲むのに時間は要しなかった。槍が宙に舞い、敵兵は騎士めがけて殺到した。砦の上の人々は、思わず眼をつむった。トルコ兵のかたまりがとけた後に、騎士の甲冑姿が動かなかった。

その日は珍らしく、トルコ軍の引きあげの合図は、正午を少しまわった時刻に鳴りわたった。イタリア城壁を守っていた騎士たちは、トルコ兵の姿が遠ざかるのをまちかねる想いで砦の扉を開け、倒れた騎士に向って駆けよった。アントニオともう一人の騎士が、両側からかかえあげようとしたとき、死んだ騎士のかぶとが脱げて下におちた。アントニオも、そしてもう一人の騎士も、また近くにいた他の騎士たちも、鋼鉄のかぶとの下からあらわれた顔を見たとたんに、視線が動かなくなった。豊かな黒髪をまとめているものの、それは、まぎれもない女の顔だったからである。アントニオは、誰かすぐにわかった。まわりの騎士たちも、知っているかのようだった。誰も、ひとことも言わなかった。脱がそうとした重い甲冑の胸もとから、小さなルビーの十字架がこぼれおちた。

開城

その日の夜、騎士団長はついに、スルタンの提示してきた条件での開城に、決断をくだしたのである。騎士団の決定は、トルコ陣営に通知された。

二十日、一人の騎士と二人の住民代表が、条件確認のために敵陣に入った。攻撃は、中断されていた。堀の中では、トルコ兵が、自軍の死者を運びだす作業をしていた。城壁の上からは、それに対し、一発も射《う》たれなかった。

十二月二十一日、ひとまず両軍とも、三日間の休戦をすることで一致した。防衛側からは、休戦の保証のためということで、二十五人の騎士と同数の住民が、トルコ軍の陣営にとどめおかれることになった。トルコ側からは、四百人のイエニチェリ軍団の兵が、武装解除した後で市内に入ってきた。

交渉は、前回のときと同じ、アーメッド・パシャの天幕の中ですすめられた。防衛側は、二人の騎士と二人の住民代表が交渉にあたる。スルタン・スレイマンは、前に示した条件のうち一つたりとも欠く気はないと伝えてきたので、交渉は問題なく終った。そして、降伏文書の調印は、アーメッド・パシャの天幕の中で、トルコ側からはアーメッド・パシャが、防衛側は、刑死したダルマールの後を襲って副団長に就任していた、オーヴェルニュ出身の騎士が行なった。十二月の二十五日だった。

だが、その夜、ロードスの市内は、一時にしてもときならぬ混乱に見舞われたのである。市内にいた四百人のイエニチェリ軍団の兵が、住民の家を略奪しはじめたのだった。武装解除されてはいたが、トルコ軍の精鋭といわれた騎士たち四百人の集団である。武器でおどされなくても、住民にとって脅威であることには変りはない。だが、騎士団長は、それを鎮圧するのに、配下の騎士たちをさし向けなかった。スルタンに直接、条約違反であると抗議したのである。スレイマンもそれを当然とし、イエニチェリ軍団の兵たちに、即刻帰営の命令をくだした。兵たちが城壁外に去ると同時に、トルコ陣営内にとどめおかれていた二十五人の騎士と同数の住民も、城壁内にもどってきた。

その夜中に、トルコ軍は、約束どおり陣営を引きはらい、一マイル後方にさがった地点に天幕を張った。

十二月二十六日の朝、大臣アーメッド・パシャの使いが、秘かに騎士団長居城を訪れた。団長リラダンに、スルタンに会いに行ってはどうかとすすめにきたのである。リラダンは、このすすめを受けることにした。

その日の午後、聖ヨハネ騎士団の騎士の正装に身をこらし、馬で、ダンボアーズ門から堀の上にわたされている石づくりの橋をわたって、トルコ陣営に向った。銀色に輝く鋼鉄の甲冑に、頭から足の先までつつまれた騎士団長の背後には、フランスの若い騎士ラ・ヴァレッテが、赤地に白十字を染めぬいた聖ヨハネ騎士団の大軍旗をかかげて、これも馬でつづく。その後には、八つの隊ごとに、騎士館長と副官格の若い騎士が、騎士の正装姿で馬をすすめた。その中に、アントニオもいる。騎士たちの甲冑の胸の部分には、赤地に白の十字架が染めぬかれ、かぶとの先には、色とりどりの羽根が風にゆれていた。団長以下十八人の一行は、いずれも、赤地に白十字を縫いとりした大マントをはおり、それが馬の背を大きくおおっている。

華々《はなばな》しいこの一行は、トルコ兵たちの呆然《ぼうぜん》とした表情に迎えられた。トルコ人たちは、五カ月もの長い攻防戦を闘いぬいた敵の戦士たちが、まるで昨日西欧から到着したばかりとでもいうように、新鮮で華麗で、こうも威風堂々としているとは信じられなかったのである。

彼らが想像していたのは、疲れはてて頭をたれて馬で行く、汚れた敗残者の姿だった。トルコ兵たちは、思わず道を開けていた。騎士の一行は、その中をすすみ、金色にきらめくスルタンの天幕に向った。

天幕の前には、アーメッド・パシャと、スレイマンの側近のイブラヒムが出迎えていた。騎士たちは、馬をおりた。そして、アーメッド・パシャの先導で、天幕の中に入っていった。

天幕の中は、想像していたよりもさらに広かった。中央にある広間を中心に、ぐるりと周囲を小部屋が囲んでいるらしかった。スレイマンは、広間の正面におかれた、豪華に金銀をちりばめたトルコ風の低い椅子《いす》に坐《すわ》っていたが、騎士団長が入ってくるのを見るや、立ちあがって一行を迎えた。

勝者と敗者

二十八歳になるトルコ帝国の専制君主は、背が高く堂々とした体格の男だった。衿《えり》を立てないトルコの服は、首を実際よりは長く見せるものなのだが、スレイマンの首は、長くてもほっそりしていない。ただ、純白の絹のターバンはよほど重いのか、それとも背が並よりは高いためか、少しばかり猫背《ねこぜ》であるのが、親しみを感じさせた。

顔だちは細面《ほそおもて》なので、豊かな量のターバンがよく似合う。トルコ人特有の大きめのわし鼻が、存在を主張していた。トルコ風の口ひげは、まだ若年のためか小ぶりで、いかめしさよりは洗練を感じさせる。眼《め》は、細く長いペルシア風よりは、大きく黒々としていて、気持のあたたかさをあらわすように、親しみを示して生き生きと輝いていた。

服装は、美しいというより豪華だった。足もとまでとどく長い上着は、金糸をふんだんに使って織られたにちがいないブロケード地で、ふとめの袖《そで》からのぞくシャツは、緑色のビロードだ。シャツをとめるための一列に並んだボタンは、これ以上精巧な細工もないと思われる金細工。白絹のターバンの真中には、卵ほどの大きさのエメラルドが輝いていた。

アントニオは、呆然としていた。幼時から聴かされてきた野蛮なトルコ人という概念と、どうしても一致しなかったからである。だが、西欧の若者を心から驚嘆させたのは、その後に展開した光景だった。

スレイマンは、騎士団長に椅子をすすめ、自分もトルコ風の低い椅子に坐った。騎士たちは、団長の背後に立ち、アーメッド・パシャ、クァジム・パシャ、ペリ・パシャの三大臣はスルタンの左どなりに、イブラヒムは右どなりに立った。

対談は、ギリシア語で行われた。騎士の一人が、団長のフランス語をギリシア語に通訳する。トルコ側は、もともとギリシア人であるイブラヒムをはじめとして、ほとんどがギリシア語を解するふうだった。とくにスルタンは、自らギリシア語を使って話した。

スレイマンは、アラーの神と預言者マホメッドとメッカの聖石にかけて、条約のすべてを守ることを誓った。騎士たちは、この異教徒の宣誓を、キリスト教徒の騎士が誓うのを聴くのと同じ素直さで聴いていた。さらに、若いスルタンは、もしも退去の準備に要する期間が十二日間で不足ならば、延長してもよいのだと言った。騎士団長は、好意には深く感謝するが、なるべく無為に時間をのばしたくない、と答えた。

勝者と敗者の対話が、親しく長くつづくわけがない。短い会談が終ろうとするときになって、スレイマンは、騎士団長の眼を静かに見つめながら言った。

「わたしは、勝った。だが、それなのに、あなたとあなたの配下のような勇敢で義に厚い人人を、その棲家《すみか》から追いださなくてはならないようになってしまった事態に、心からの悲しみを感じないではいられない」

騎士団長は、万感の想いをこめてこの若い勝利者を見つめていたが、ついになにも言わなかった。

スレイマンは、一行の騎士たち全員に、紅《くれない》のビロードの巻物を一つずつ贈った。十八人の騎士たちは、来たときにくぐったダンボアーズ門を通って、城壁内にもどった。

十二月二十九日、スレイマンは、騎士団長にはあらかじめ告げてあった、ロードス入城を行なった。馬をすすめるスルタンの前後左右には、百人のイエニチェリ軍団の兵が警護にあたる。イブラヒム一人をしたがえただけで、大臣たちも同行しての入城ではなかった。また、コスクィーノ門から市内に入ったスルタンは、そこから商港までの道を往復しただけで、騎士団長居城や各騎士館の集中している、俗にシャトー地区と呼ばれた地域には入ろうとはしなかった。

大帝国の主《あるじ》である余裕と、勝者の思い遣《や》りが、通例の勝利者入城とはちがうものにしたのであろう。若いスルタンは、自軍の兵士たちに対し、敗者をないがしろにした者は重刑に処す、と通達させた。そして、それは完璧《かんぺき》に守られた。

去りゆく人々

商港では、島を去る人々の持物や荷物を船に積みこむ作業で、この六カ月間見なかったにぎわいを呈していた。住民だけでも五千人が、難民になっても退去をすると決めていたからである。すぐにも落ちつき先の予定が立っている者は、少なかった。だが、騎士団とて、難民となるのでは同じなのである。

五千人とその荷物をのせるには、少なくとも五十隻《せき》の船が必要だった。だが、籠城《ろうじょう》六カ月のロードスには、これだけの数の船がない。所詮《しょせん》は島を去るしかないジェノヴァやヴェネツィアやマルセーユの船にのりきれない人と荷は、トルコ海軍の提供する船を利用させてもらうしかなかった。トルコ船は、これらをヴェネツィア領のクレタ島まで運ぶことを約束した。商港での混雑は、誰もがなるべく西欧の船かロードス人の船に乗りたいと望んだからである。

軍港でも、質はちがっても混雑は同じだった。騎士たちの持物を積むためではない。それならば、たいした時間はかからなかった。それよりも、武人としての名誉を保っての降伏を認められた以上、武器や武具はすべて持っていかねばならない。ただし、大砲だけは、持ち去ることをトルコは許さなかった。

しかし、騎士団がパレスティーナ地方で活動していた時代に集めた、聖遺物がある。これらは、パレスティーナを捨てねばならなくなったときからロードスに本拠をすえるまで、騎士団と運命をともにしてきたものであり、ロードスを去って後も、今はどこかわからないにしても次の本拠地を得るまで、これらの品も騎士団同様、安住の地をもつことができないのだった。見事な銀製の容器に収められた聖ヨハネの右手、キリストがはりつけになった十字架の木片、はりつけになる前のキリストがかぶらされていた、いばらの冠についていたとげ二本、聖エウへミアのミイラ、それに、御加護あらたかな古いイコン、これらが、聖ヨハネ騎士団の宝物だったのである。聖遺物は、騎士団長が乗船する旗艦、サンタ・マリア号の船室に安置された。

宝物や武器や軍旗や騎士たちの持物の積みこみが終われば、負傷者の乗船がまっている。歩ける者は同僚の肩にすがり、歩けない者は、担架で運ばれて船に乗り移った。

すべてが終了したのは、十二月の最後の日である。出港は、翌一月一日と決まった。

出港前日の朝、騎士団長は退去のあいさつのため、スルタンの天幕を訪れた。スレイマンは、去る者全員に対して、トルコ帝国内通行の安全と自由を保証した、通行証を準備して待っていた。その日は、団長とスルタンは、前回よりも長く対席していた。後で団長は、スレイマンを評して、

「彼こそ、まことの騎士である」

と言った。

一五二三年一月一日、大気は肌《はだ》に厳しかったが、空は蒼《あお》く晴れわたっていた。ロードス島の背骨のようにある山脈でも、その最も高い山は、うっすらと雪でおおわれているにちがいなかった。

軍港では、騎士たちの乗船がはじまっていた。商港のほうでは、ジェノヴァやヴェネツィアやフランスの旗をひるがえした船をまじえて、合計十一隻の船に、住民たちの第一陣が、昨夜から乗りこんで待機している。それ以外の島を去ると決めた人々は、トルコ船の準備がととのい次第それに乗り、今日発《た》つ船の後を追うことになっていた。船着場では、見送る人と見送られる人が、船の上と下で離れがたい想《おも》いを交わしていた。

スレイマンの配慮でトルコ兵の姿のない軍港では、発つのが家族や親族をこの島にもたな

い騎士団関係者だけに、見送る人の姿は少ない。騎士たちは黙々と、用意された船に乗りこんでいた。アントニオは、右脚を引きずっていた。トルコ兵の突き刺した小刀が骨に当っていて、傷は治りはしたものの、どうしても脚を引きずってしまうのである。だが、自分の脚で歩ける騎士たちは、今日も、聖ヨハネ騎士団の正装をまとっていた。

軍港の船着場には、二十五隻の船が、出港を待つばかりの状態で停泊していた。一隻の大型輸送船。十四隻の、一本マストの小型ガレー船。三隻の、二本マストの大型ガレー船。七隻を数える、三本の帆柱に四角帆と三角帆の両方をそなえた戦闘用帆船。これが、島を去る騎士団が使える船団だった。二百年の間、この一帯の海の制海権を維持しつづけてきた聖ヨハネ騎士団の海軍としては、まことに貧弱というしかなかったが、幾隻かは、住民の退去用に用立てている。また、十隻ほどは、これからの行方もしれない船旅に同道するには、不安がありすぎた。造船所に置いていくしかなかった。

騎士団長や大司教が乗りこんだ旗艦サンタ・マリア号は、三本マストの戦闘用帆船なのだが、他の六隻に比べて一段と大型にできている。艦長は、イギリス人の騎士サー・ウィリアム・ウェストン。この船が、出港の先頭をきった。

旗艦につづいて、他の船も一隻ずつ、船着場を後にする。ロードスの城壁の内からは、誰が鳴らすのか、教会の鐘がいっせいに鳴りはじめた。

船着場を離れていく各船の帆柱の上には、三角の形をした、赤い白十字の聖ヨハネ騎士団の戦闘旗が風にはためいている。船べりには、これも赤地に白十字の騎士たちの楯《たて》がずらりと並ぶ。その背後に、大槍を手にした騎士たちが立つ。これも、戦場に向うときの、騎士団のやり方だった。堤防の上に並ぶ風車が、カラカラと乾いた音をたてていた。

旗艦を先頭にした船の列が、軍港の入口をかためる聖ニコラの要塞《ようさい》の前を通りすぎようとしたときだった。要塞から、砲音がひびきはじめた。スレイマンが命じた、礼砲だった。騎士たちは、無言で、離れていくロードス島を見つめていた。誰もひとこともなく、船上に立ちつくしていた。

二百年の間彼らの棲家であった、バラの花咲く古《いにしえ》の島から、今去って行こうとしている。サンタ・マリア号の船尾に立つラッパ手が、鐘の音と礼砲にこたえて奏しはじめた。ラッパの音は、高々と、海面を伝わって流れていった。この島には一年もいなかった新参騎士のアントニオも、また騎士でもないマルティネンゴも、遠ざかっていくロードス島から眼が離せないでいる騎士たちと、胸のうちを共有することには変りはなかった。

船団の行き先は、ひとまず、クレタの西端にあるカネアの港と決まっていた。クレタ島を領有するヴェネツィア共和国が、難民たちのひとまずの落ちつき先として、カネアの街のいくつかの建物を提供したからである。病人も、その地の病院への収容を許されていた。あとは？　そのあとの行き先は、まだ決まっていなかった。

しかし、広大なトルコ帝国の領国の内庭に、小さいながらも猛々《たけだけ》しく巣くっていた「キリストの蛇《へび》たちの巣」は、ついにとりのぞかれたのである。膨大な犠牲を払って得た成果だったが、トルコ人にしてみれば、それでもなおあまりある収穫であった。帝国の首都コンスタンティノープルから遥《はる》かなシリアやエジプトへ行くのにも、また、アラビア半島のメッカへ巡礼に行くのにも、もはや途中で襲われることを心配しないでもよくなったのである。

ただ、「蛇たち」の中でも、特別に猛毒をもった若い一匹の蛇を、フランス貴族をもしのぐ騎士道精神を発揮したあげく逃がしてしまったことに、そのときはまだ、二十八歳の勝利者は気づいていなかったのである。

エピローグ

放浪時代

騎士団長リラダンが、組織の長としての才能を真に発揮したのは、聖ヨハネ騎士団が「難民」となったこのときからである。

ひとまずクレタ島のカネアに落ちついた難民のうち、西欧人はそれぞれの国に、またロードス人の多くは、クレタをはじめとするエーゲ海の島々に、徐々にではあったが定住先を求めて去っていった。そのために、アルバニアがトルコ支配下におちたときのように、ヴェネツィア共和国があちこちに難民受け入れ先を求めて苦労するような事態は起らなかった。問題は、騎士個人としてではなく、騎士団という組織そのものを受け入れてくれる先を見つける必要に迫られた、聖ヨハネ騎士団である。

はじめのうち、騎士団長は、西欧諸国から軍を得て、それによってロードス再復を計ろうという気持でいた。三カ月におよんだクレタ滞在中にも、ローマへ使節をおくり、法王に力ぞえを頼むことに熱心だった。だが、誠実ではあったが政治力のない法王アドリアーノ六世には、枢機卿《すうきけい》会議を開いて決議することしかできない。政治力は少しはあったが誠実ではなかった聖ヨハネ騎士団員でもあるメディチ枢機卿は、現法王に協力する気がまったくなく、フィレンツェに引っこんだまま、騎士団長のおくった使節にもはっきりしない返事をくり返すだけだった。

四月、聖ヨハネ騎士団は、シチリアのメッシーナに移った。クレタはヴェネツィア領であり、ヴェネツィア共和国は、彼らの柔軟路線に対し強硬路線しか頭にない聖ヨハネ騎士団を、いつまでも自領にとどめる気はなかった。

だが、メッシーナにも長くとどまることができなかった。シチリアはスペイン王支配下にあり、王の臣下であるシチリア総督が、騎士たちの本拠をシチリアにおかれるのに難色を示したからである。騎士団は、聖遺物や軍旗ともども、ジェノヴァへ行ったり、ニースにしばらく滞在したり、イタリア中部のヴィテルボにとどまったりの、放浪生活を強《し》いられる。この間も、騎士団長リラダンは、自ら西欧君主の宮廷をまわり、ロードス再復への十字軍結成を呼びかけるのをあきらめなかったが、君主たちのほうにその気がまったくなかった。ロードス陥落の五年後、一五二七年、神聖ローマ帝国皇帝でスペイン王も兼ねるカルロスの軍が、法王の座所ローマを攻め、略奪し焼き払うという大事件が起る。対トルコの十字軍など、考えられる状態ではなかった。

ロードス再復はあきらめざるをえないと悟った騎士団は、せめてどこかほかの地に本拠地を与えてくれと、君主たちに要請する。シチリアのどこかでもよかったし、サルデーニャ島の一部、またはコルシカ島のどこか、でなければエルバ島でもよいと願った。だが、そのうちのどこも、実現しなかった。

「マルタ騎士団」

ところが一五三〇年になって、カルロスが、自分の領国の中に、地中海に浮ぶ小さな島三つがあるのを思いだした。マルタ島と、それに附属した二つの小島である。あれならば騎士団に与えてもよい、と皇帝は思ったのだろう。年に一羽の鷹《たか》が年貢《ねんぐ》料という条件で、交渉は成立する。だが、騎士団は、マルタ島を領するかぎりスペイン王の臣下ということになり、北アフリカのトリポリ攻略の義務も負うことになった。

これは、カルロスが、聖ヨハネ騎士団をどのように使うつもりでいるかをよくあらわしていた。スペイン王でもあるカルロスは、アルジェリアやチュニジアなど北アフリカ一帯の領有に、野心があったのである。また、あのあたりを本拠にして周辺を荒らしまわっているイスラム教徒の海賊から、自分の支配下の国々の船を守る意図もあった。海賊たちは、海軍力のないトルコ帝国から、いざという際にはトルコ海軍に加わって闘うことを条件に、本拠とする土地や港の主権を認められていたのである。

だが、なんといっても西地中海に属するマルタ島を本拠にすることになれば、対異教徒の最前線に位置するとはもはや言えなくなる。ロードス島ならばまさに最前線だったが、マルタでは、相手が海賊であり、カルロスの帝国の番犬でしかなくなるのだった。

騎士団長にも、それはわかっていた。だが、マルタを断われば、いつどこに本拠地をもてるかわからなくなる。存在理由は、海賊退治であっても必要だった。本拠地をもち、存在理由を回復することが、騎士団の消滅を防ぐ唯一《ゆいいつ》の道だったからである。

一五三〇年、ロードスを追われてから八年後、騎士団のマルタ移住は完了した。

しかし、マルタ島は、バラの花咲く古《いにしえ》の島に慣れ親しんできた騎士たちを、絶望させるに充分だった。

まず、気候が厳しい。全島がハゲ山に近い状態なので、冬の寒さと夏の暑さが耐えがたい。人にさえ忘れ去られたような島なので、住民は一万を少し越えるほどしかいない。そのほとんどが文盲で、彼らの話し言葉は、アラブ語の方言だ。これは、五百年前にはアラブの支配下にあった歴史と、北アフリカに近い位置によるのであろう。貧しい住民の中の少数の上流階級は、シチリアを支配するスペイン系で、彼らは、スペイン語とイタリア語とフランス語を、少しにしても話す。要するにマルタでは、ロードスにはあふれていた、温暖な気候と緑を地にした色彩と文明の残り香を、まったく期待できないのだった。

だが、騎士団のマルタ移住は、各言語にわたる幾人かの騎士の、騎士団脱退を生むことになる。マルタでは、聖ヨハネ騎士団は存在理由を失うというのが、この人々の言い分だった。カルロスの単なる番犬になるのを、いさぎよしとしない騎士たちである。かつて、ロードス開城の是非を討議した席で、この理由をかかげて徹底抗戦を主張したラ・ヴァレッテは、騎士団に残った。このフランスの若い騎士の胸には、他のなによりも、彼とは同年のトルコの勝利者の姿がきざみつけられていたのかもしれない。

騎士団長リラダンは、マルタ移住の四年後、この島で死んだ。その頃より、マルタ島は様相を一変しつつあった。


聖ヨハネ騎士団は、マルタでは、なにもかもはじめから築きあげねばならなかった。ロードスのように、ビザンチン時代のものがすでにあり、それを当初は利用し、年を重ねるにしたがって、また経費のめどがつくにしたがって、増築を行ったり改造をほどこしたり補強をしたりして、地中海最強の城塞につくりあげていくなどということは、古代でも中世でも遺跡ひとつないマルタでは夢だった。だが、聖ヨハネ騎士団の騎士たちにしてみれば、また、当時の常識からしてみても、城塞のない生活様式など、想像もできないことなのである。荒れた島マルタのほとんど唯一と言ってもよい利点は、岩地を鋭くえぐったような、いくつもの湾に恵まれていることだった。整備しだいでは、地中海でも指折りの良港に変れるはずであった。

騎士たちは、誰も住まないその一帯の要塞化に着手する。今度も、計画を立て実際の作業の指揮をしたのは、イタリア人の築城技師たちだった。首都も、まだ名もなかったそこに決めた。リラダンが死んだ頃には、要塞化はようやく着手したばかりの段階にあった。だが、彼につづいた騎士団長たちは、いずれもリラダンの考えを踏襲し、発展させることに全力をそそぐ。一五五七年、マルタに移住してから二十七年がすぎた頃には、湾一帯の要塞化は、半ばまで完成していた。なにしろ、湾に向って突き出ている八つの半島すべてを、一つずつ要塞化していく事業である。騎士団の財政も以前ほどは豊かでなくなったマルタ時代、短期間に完了可能な事業ではなかった。

騎士団とともにロードスを去った技師マルティネンゴは、マルタの要塞化には参加していない。といって、騎士たちとたもとを分ったわけでもない。ロードス攻防戦中に負傷し、右眼を常に眼帯でおおっているヴェネツィアの技師は、騎士団のロードス退去後、騎士団長リラダンによって、騎士に列せられた。攻防戦中の貢献に対してのもので、「青い血」を一滴も引いていない身として、まったく異例のことだった。マルタ取得の交渉にカルロスの許《もと》に派遣された騎士たちの中に入っているから、しばらくの間彼も、難民中の騎士団と行動をともにしたのであろう。

だが、マルタへは行かなかった。マルタへは、彼の推薦した技師たちが行っている。マルティネンゴ自身は、カルロスに乞《こ》われて、スペインに、築城技師としてとどまった。サン・セバスティアンに、砦《とりで》で要所をかためた型の、スペインでは最初の城塞を築いたのが彼である。その後、イタリアへもどり、パヴィアやジェノヴァやナポリの城塞の、増築や修復を担当する。また、オランダのアントワープまで遠出し、もう一人のイタリア人技師とともに、あの都市の防衛の計画を担当したこともあった。

マルティネンゴは一五四四年、ヴェネツィアで死ぬ。死の数年前まで、自分の無断のロードス行きを、祖国は許していないと思いこんでいた。ただ、このヴェネツィア国籍の築城技師は、まだロードスがトルコ軍の前に開城しない一五二二年十月に、故郷にいる弟にあてて書いた一通の手紙を残している。それには、無断のロードス行きを共和国政府がどう受けとるかの心配とともに、トルコ軍の砲撃や地雷についてもくわしく書かれている。

復《ふく》讐《しゅう》

一五五七年、死去した前の騎士団長に代わって、新しく聖ヨハネ騎士団長に選出されたのが、ジャン・ド・ラ・ヴァレッテ・パリゾンだった。ロードス時代は二十代の後半であった

フランスの騎士も、六十三歳になっていた。だが、この、
「純粋このうえなきフランス騎士、混じり気なしのガスコーニュ魂の持主」
と評された男は、六十を越えても、きたえあげた鋼鉄のような肉体とともに、精神のほうも衰えがなかったようである。異教徒撲滅《ぼくめつ》に、とくに聖ヨハネ騎士団にロードス退去を強いたトルコへの復讐に、熱い想いをもちつづけた一人であった。

そして、それを発揮する機会は、彼の騎士団長就任後八年にして訪れる。一五六五年、トルコは、マルタ攻略を期して大軍をおくってきた。マルタ攻防戦のはじまりである。トルコのスルタンは、ロードスでラ・ヴァレッテも会ったことのあるスレイマン。ただ、大帝と呼ばれるまでになったスレイマンは、七十歳をすぎて、戦場に出向くこともまれになっていた。マルタ攻略も臣下にまかせ、自らは、チューリップの咲きほこる、コンスタンティノープルのトプカピ宮殿から動かない。反対に、スルタンとは同年のラ・ヴァレッテは、率先して陣頭に立つのである。ロードス攻防戦から数えて、実に四十三年ぶりの、トルコ帝国と聖ヨハネ騎士団の「再会」だった。

一五六五年・春、トルコ軍は、大小あわせて二千隻《せき》、これはどうも大げさすぎる数字に思えるが、それにしても地中海がはじめて見るという大艦隊に五万の兵をのせて、コンスタンティノープルを発ちマルタへ向った。総指揮は、あのムスタファ・パシャである。ロードス攻防戦中に総攻撃失敗の責を負ってシリアに左遷《させん》された彼も、その後のペルシア戦役《せんえき》、ハン

ガリア戦役での功によって大臣に復帰していた。その彼に雪辱戦をさせようとしてか、スレイマンは再び、聖ヨハネ騎士団攻略の総指揮をまかせたのである。

防衛側は、五百四十人の騎士に一千人のスペイン兵、それに傭兵《ようへい》やマルタ人が四千。ロードスのときとほぼ同じ規模の防衛力で対する。総指揮は、騎士団長ラ・ヴァレッテ。ロードス攻防戦当時は二十八歳であったフランスの若い騎士も、七十一歳になっていた。

しかし、トルコ側には、スルタン臨戦でないということを除いても、ロードス攻防戦と比べてこのマルタ攻防戦は、いくつかの不利があった。

第一に、攻撃軍の戦力が、ロードス当時の二分の一であったことである。そのうえ、ロードスでは期待できた、シリアやエジプトからのほぼ同数の援軍を、マルタでは望めなかった。

第二は、コンスタンティノープルからロードスまでの距離よりも、コンスタンティノープルからマルタまでの距離のほうが、二倍も遠いことである。しかも、前回では自領の小アジアをずっと陸づたいに来られ、海上はマルマンリスからロードスまでの五十キロにみたなかったが、今度はすべて海路で、しかも一千六百キロを越える。兵だけでなく、大砲も砲丸も火薬もなにもかも、食糧さえも、この距離を運んでこなければならない。それも、全部一度にである。マルマンリスからロードスまで、ピストン輸送をできた前回の利点は、マルタ攻防戦ではまったく期待できなかった。

もちろん、北アフリカはトルコ領ではある。だが、スルタンの直轄《ちょっかつ》領ではなく、海賊に委託するという形の領土である。マルタから最も近距離のチュニジアとの間に、小アジアとロードスとの間のような、補給線をつくりあげるわけにはいかなかった。

トルコ側にとっての第三の不利は、マルタでの騎士団の防衛が、彼らがいくつかの半島を要塞《ようさい》化していたために、ロードスのときのように、攻撃を一点にだけ集中できなかったことにある。防衛側も戦力を分散してはいたが、攻撃側も分散はまぬがれなかった。これは、緻《ち》密《みつ》な作戦を得意としない、つまり量で押してくるのが通常のトルコ軍に、騎士団よりはずっと不利に働いたのである。一方、ラ・ヴァレッテは、分散する防衛線を、その有利だけを十二分に生かして闘うことを知っていた。

第四のちがいは、マルタがシチリアに近いことだった。当時のシチリアは、スペイン支配下にある。スペインは、カルロスの息子、フェリペ二世の時代になっていた。フェリペ二世が、自領のシチリアにまで、トルコの勢力が浸透するかもしれない事態になるのを、喜ぶはずがない。トルコ帝国、マルタ攻略を決める、の報に、騎士団長はスペイン王に援軍派遣を要請したが、その時点での回答は、一万六千の援軍を送るということだった。ラ・ヴァレッテは、君主の言葉は事実を眼前にしないかぎり信じない、と言っていたが、マルタがトルコの手中に帰した場合に困るのは、誰よりもスペイン王だったのである。

戦いは、五月半ばのトルコ全軍上陸完了を機にはじまった。攻防戦は、ロードスをしのぐ激しさでくり広げられた。ただ、防衛側にとっての最大の利点は、城塞内に一般市民をかかえなくてすむということにあった。いくつかに分散されているにせよ、要塞に立てこもるのは、純戦闘要員だけである。いかに戦闘が防衛側に不利に展開しても、住民の士気の変化を心配する必要はない。防衛をつらぬきとおすか否《いな》かは、いつに、騎士団長一人の意志にかかっていたのである。

そして、ラ・ヴァレッテは、まさに鉄の意志の男だった。

マルタを失っては、他に行き場所がないということもあったろう。ラ・ヴァレッテは、ムスタファ・パシャの提示してくる、ロードスのとき以上に有利な条件での和平の交渉を無視しつづけた。守りきるか、それとも死か、ロードス島という最上の巣を失った「蛇《へび》」は、巣をとりあげた者に対し、毒をもつ歯でかみつかないではすまない気持であったのだろう。ムスタファ・パシャが、捕えた騎士の頭を斬《き》り、それを砲丸がわりに撃ちこんでくれば、ラ・ヴァレッテも、トルコ兵の頭を撃ち返した。

攻防戦が四カ月に迫ろうとする九月六日、シチリアの総督の派遣した、八千の兵が到着する。フェリペ二世が約束した数の半分だったが、長びく攻防戦とかんばしくない戦果と味方の損失の大きさに、士気が落ちていたトルコ軍に、包囲を解く決断をくださせるには充分だった。マルタを去りコンスタンティノープルに帰ったトルコ軍は、出陣のときの三分の一の戦力に減っていたという。敗戦の責任者であるムスタファ・パシャは、スレイマンのくだす罰に怖《おそ》れおののいたが、スルタンは、たいした怒りもあらわさなかった。スレイマンもムスタファ・パシャも、老いたのであろう。

スレイマンが、ロードス攻防戦当時に二度ほど顔をあわせたこともあるフランスの若い騎士こそ、マルタ防衛の最大の功労者であることを知っていたかどうかはわからない。もしも知っていたとしたら、ロードス時代の自分の紳士的な振舞いを、後悔したかもしれない。スレイマン大帝は、この一年後に死んだ。

ラ・ヴァレッテのほうは、その後三年生きる。破損のはげしい城塞を修復し補強し、再びトルコの大軍が攻めてきてもしばらくはもちこたえられる状態にして、一五六八年に死んだ。

それ以降、騎士団によって要塞化された湾にのぞむこの一帯は、自然にマルタ島の首都になり、「ヴァレッタ」と名づけられて現在にいたっている。聖ヨハネ騎士団がナポレオンに敗れてこの島を去り、マルタ島はフランス領になり、次いでイギリス領になり、現在では独立の共和国と変ったが、首都だけはいまだに、ヴァレッタ、と呼ばれているのである。

もう一つの選択

アントニオ・デル・カレットは、マルタ島に本拠を決めて以後、マルタ騎士団とも呼ばれるようになった聖ヨハネ騎士団の、一員ではなくなっていた。ロードスを去った騎士団と数年「難民」生活をともにしたが、その後、騎士団を脱退したのである。彼の他《ほか》にも幾人も脱退した騎士はいたし、アントニオの不自由な右脚のためか、騎士団の理由究明も厳しくはなかった。

ロードスを後にしてから六年後、父の侯爵《こうしゃく》が死んだ。後を継いだのは、長男のジョヴァンニである。そして、まもなく、母のペレッタが再婚した。その頃はすでに、アントニオは、騎士の身分を捨て僧院に入っていた。一介の修道僧が、彼の選んだ道だった。僧院時代に、今では断片しか残っていない、ロードス攻防戦についての記録を書いたようである。なぜならこの記録は、そのジェノヴァ近くの修道院に保存されていたし、その後僧院を離れたアントニオは、二度とそこにもどってはこなかったからである。

母の再婚が、デル・カレット侯爵家にかぎらずジェノヴァ中の話題になったのは、相手が、有名な海将アンドレア・ドーリアであったからだった。

ジェノヴァの貴族アンドレア・ドーリアは、ジェノヴァ海軍の海将ではない。いわば海の傭兵隊長で、配下の船と乗員ともに、金《かね》を出して傭《やと》う君主のために闘うのを職業としている。陸の傭兵隊長は当時では珍らしくなかったが、海は、彼が第一人者だった。法王のために働いたと思えば、フランス王に傭われる。フランス王との契約に不満をいだけば、ライヴァルのスペイン王に鞍《くら》がえした。アントニオの母ペレッタが結婚した頃は、六十歳を越していたが、九十四歳になるまで長生きした男である。一匹狼《おおかみ》と呼ばれ、鮫《さめ》とも悪評されたが、スペインもフランスも、海軍の伝統がない。需要供給の関係では、ドーリアに有利だった。そして、抜け目のない彼は、市場を常に有利に保つことにも、まことに巧みだったのである。そのためには、イスラムの海賊との取引きも平気だった。

長年の傭兵生活で莫大《ばくだい》な富を蓄積し、傭い主たちとの関係を活用して、故国ジェノヴァでも並ぶ者のない権力を手中にした男を、アントニオの母は、二度目の夫に選んだのだ。人々はさまざまに噂《うわさ》しあったが、アントニオは、母の選択を悪く思う気になれなかった。官能的な女は、権力をもつ男を愛するものである。アントニオは、自分自身は権力も富ももたない道を選んだが、それを選ぶ男たちを非難するほど、考えの狭い人間ではなかった。生を全身で享受《きょうじゅ》する女である母のペレッタが、地中海の老獪《ろうかい》な鮫を愛したのを、アントニオは、微笑をもって信ずることができたのである。

ただ、アントニオは、アンドレア・ドーリアの養子になり、海将への道を歩みはじめた弟のマルコとは、ちがう道を選んだ。僧院を出た彼は、北アフリカのイスラム教徒の国へ行く。一介の修道士として、僧衣に身をつつんだだけで、チュニジアへ向った。

キリストの福音を伝える、伝道が目的ではない。イスラムの海賊に捕われたキリスト教徒たちの、世話をするのが彼の仕事だった。チュニジアやアルジェリアは、イスラム教徒の海賊たちの根城だったが、海賊たちは捕えたキリスト教徒を、「浴場」と呼ぶ収容所に収容する。そこに収容しておいて、身代金がとどいた者は自由にし、とどかない者は奴隷《どれい》に売るのが、彼らのやり方だった。奴隷としても買い手さえつかない人々は、「浴場」の中で生を終るしかない。

「浴場」収容の捕囚に、身代金がとどけられるようはからったり、払えない人々のためには基金をつのったり、また、「浴場」にいる病人たちの世話をしたりする宗教団体がヨーロッパにできたが、アントニオは、それに加わったのである。

没年は、いつかわからない。名を捨てたもと騎士は、名を捨てたまま死んだのだった。右脚の不自由な僧、これがアントニオ・デル・カレットの通り名であった。

聖ヨハネ騎士団・その後

一七九八年六月、マルタ島の聖ヨハネ騎士団は、エジプト遠征の途中のナポレオンによって、マルタから追放された。ほとんど気まぐれのようなナポレオン指揮下のフランス艦隊の挑戦《ちょうせん》だったが、騎士団は、戦いも交じえずに降伏したのである。

六月十二日、ナポレオン自身、首都ヴァレッタに入城した。すさまじくも見事な城塞都市には、ナポレオンさえも驚嘆せずにはいられなかった。彼は、後にこう書いている。

「マルタ島は、二十四時間の砲撃にさえ耐えられなかったであろう。城壁ならば、疑いなく耐えぬいたにちがいない。しかし、守る騎士たちのほうに、精神力が欠けていた」

騎士団を失ったマルタ島は、一八一四年、ナポレオンの失脚によって、イギリスの領土になる。そして、第二次大戦を機にして独立した。それにしても独立国マルタの紋章は、聖ヨハネ騎士団の八角の変型十字であり、首都名はヴァレッタであり、騎士団が築きあげた要塞は、その後も海軍基地として立派に活用され、それがために、ＮＡＴＯやソ連やリヴィアから、熱い視線を向けられているのが現状である。

ナポレオンに追われた聖ヨハネ騎士団は、十字軍時代から数えれば、三度目の「難民」時代を経験しなければならなかった。マルタを去った後、しばらくモスクワにとどまる。ロシア皇帝が、マルタを失う以前から、なにかと騎士団の保護者の役を買って出ていたからである。だが、本部は、シチリアのカターニャに残していた。それも、一八二六年には、北イタリアのフェラーラに移転する。そして、数年後、ローマに移った。騎士団の一員が、自分の財産としてもっていたローマの中心街にある建物を、騎士団に寄附したからである。今日のローマで最もシックな通りとされている、有名銘柄《めいがら》の店が立ち並ぶコンドッティ通りに、今でも聖ヨハネ騎士団の現在の本部がある。ヴァティカンと同じようにイタリアの中の独立国であり、所有の自動車のナンバーも、独自のものを使い、切手を発行し、本部内の郵便局からは、騎士団の切手をつけて、限られた国にしても、手紙を出すことができる。

現騎士団長は、七十七代目の団長で、その下には、八千人の騎士がいる。多くは結婚していて、以前のように、清貧、服従、貞潔を、誰にも強《し》いることはない。

だが、特筆しなければならないのは、聖ヨハネ騎士団が、骨董品《こっとうひん》として残っているのではなくて、活動をつづける組織であるということであろう。イスラム教徒相手の、戦士たちは消えた。しかし、騎士団のもう一つの任務であった、医療活動は残ったのである。今日、注意して見れば、世界中に、赤地に変型十字のしるしをつけた病院や研究所や救急車があることに、気づくようになるであろう。いまだに各言語別の隊を組んで活躍している、二十世紀の騎士たちである。

ただ、これら現代の騎士たちには、もはや「青い血」は要求されない。貴族であることを要求されない。「青い血」は、異教徒相手の戦士が消え去るとともに、自然に意味を失っていったのであろう。聖ヨハネ騎士団は、九百年すぎて、アマルフィの商人がイェルサレムに創設した当時の、使命にもどったのである。

解説

粕《かす》谷《や》一《かず》希《き》

一九八五（昭和60）年公刊された本書は、『コンスタンティノープルの陥落』『レパントの海戦』とともに、作者にとっては、比較的小品に属する三部作の一つである。それは『海の都の物語』（一九八〇、八一）という大作から、『わが友マキアヴェッリ』（一九八七）という野心作の中間に属する間奏曲ともいえよう。しかし小品といい、間奏曲といっても、この作品群の意味は大きい。

それまでルネサンスを中心としたキリスト教ヨーロッパ自体のドラマに注がれていた作者の眼《め》が、この三部作を通して、西欧に対峙《たいじ》する異教徒の文明、イスラム文明との衝突に移ったからである。それは当時のヨーロッパを脅《おびや》かし制約していた外部世界であるが同時にイスラム文明の姿を描くことを通して、ヨーロッパを相対化して眺《なが》めることにもなる。こうした作業が、これまでヨーロッパ中心の世界史像を叩《たた》きこまれてきた日本人にとっていかに貴重なものであるか、湾岸戦争のショックが生ま生ましい今日、多くの読者は実感できるであろう。

とくにロードス島の攻防戦に破れた聖ヨハネ騎士団が、放浪の末辿《たど》りついた先がマルタ島であったことなど、ブッシュ・ゴルバチョフ会談が行われ、ヤルタからマルタへといった言葉が飛びかう今日、マルタ島の由緒《ゆいしょ》を知って歴史の不思議を思い知らされる。作者はそうしたことを一言も語らない。語らないことで迫ってくる教訓の大きさを読者は噛《か》みしめることができる。

＊

この作品の主人公は、例によって作者好みの華麗《かれい》な青年貴族オルシーニとアントニオである。物語は、一五二二年四月、トルコ帝国が狙《ねら》う聖ヨハネ騎士団の本拠地ロードス島にアントニオが着任するところから始まる。アントニオの眼を通して、ロードス島の位置と構造が鮮やかに描き出され、騎士団長リラダン、その秘書官ラ・ヴァレッテ、城壁建築の専門技師マルティネンゴ、そしてオルシーニなど主要人物との出会いが語られる。この作者の常として、導入部の巧《うま》さは抜群である。読者はエーゲ海の潮風を肌《はだ》で感じとる。

聖ヨハネ騎士団は、キリスト教が支配した中世ヨーロッパに輩出した騎士団の一つであり、イギリス、フランス、イタリア、スペインなど、民族を越えて信仰によって結ばれた貴族の団体であり、海賊行為を含めた戦争と、医療事業を業としている。ビザンチン帝国が衰退期に入った一五〇〇年代、ロードス島を武力で奪い取り本拠地とした歴史をもっている。しかしこのことは、イスラム勢力圏への前哨基地《ぜんしょうきち》となることであり、コンスタンティノープルを陥落させ、巨大な帝国を形成しつつあったトルコにとって喉元《のどもと》のトゲのような存在であり、エジプトとの海の往来の安全を確保するためには、いずれ攻略されねばならない要衝の島であった。

トルコは一四八〇年、すでに十万の兵を率いて「キリストの蛇《へび》の巣」ロードス島を攻めた。騎士六百人という少数でありながら、ロードス島の騎士団は三ヶ月の攻防戦で島を守り抜き、トルコの大軍は疫病《えきびょう》大流行ということもあって敗退したのである。

一五二二年、ロードス島攻略を決意したトルコ帝国のスルタン・スレイマン一世は、四十年前の失敗の教訓に学び、自ら陣頭指揮を取って攻略戦を始めるのである。

*

作者の筆は、この一五二二年夏から冬にかけて五ヶ月にわたる攻防戦を坦々と描き切っている。城塞《じょうさい》都市の攻防について、当時の軍事技術を丹念に調べ上げ、大砲対城壁の腕くらべを技師マルティネンゴという個人を通して語ってゆく手法は見事であり、トルコ帝国の物量作戦に対し、滅びゆく階級としての騎士たちの健闘が美しく鮮かに際立たされている。

こうした叙事詩的風景のなかで点描されるアントニオとオルシーニの秘《ひそ》やかな同性愛やオルシーニに殉じて死んでゆく愛人のエピソードなどは、今回の作品では前景に浮かび上ってこない。

むしろ、五万人以上の死者を出しながら、一挙に攻略を目指したスルタン・スレイマン一世の華麗でありながら「騎士道精神」に溢《あふ》れた振る舞いが感動的ですらあるといえよう。

一五〇〇年代は日本も戦国時代、信長をはじめ英雄たちには事欠かない。しかし、異教徒との衝突を通して、大きな時代の転換、文明の運命を想像させ、考えさせる作者の力量には今回もまた脱帽せざるを得ない。

*

塩野七生は、今日の日本が所有するもっとも卓越した物語作家である。その華麗な才筆は時として読者（男たち）の度胆を抜きながら、日本語のレトリックがこれほど豊かに表現できることへの讃嘆を覚えさせずにはおかない。現代日本語は作者によって、ヨーロッパ世界を語るにふさわしいボキャブラリーを豊富に所有することになった。

これまでのヨーロッパは新聞記者の伝える日常的世界、あるいは学者たちの構成する屢《しばしば》模倣にすぎない概念操作であった。作者はヨーロッパを楽しみ享受《きょうじゅ》するドラマを語りつづけることで、今日の日本人の感受性の深部を変えつつある。

その証拠に、塩野七生の作品世界が構築されてゆくにつれて、多くの知的女性や学者たちが、同じレベルでの評伝を多く試みるようになった。

歴史はまず何よりも物語でなければならない。この単純な事実を現代人は忘れていたようである。歴史叙述を伴わない歴史研究は完結したものではない。近代歴史学は自らを科学たらしめようとすることで痩《や》せていった。歴史が科学であると同時に文学であることを忘れてしまったのである。

唯物《ゆいぶつ》史観に基く発展段階説が無味乾燥な歴史像を押しつけ、それが退潮していったとき、学界が選択したのは庶民生活史という無難な世界であった。

塩野七生の歴史物語はそうした学界の流行と無縁であり、作者が魅力的と思われるヒーローやヒロインを選び出し、ある時代、ある風土のなかで、その歴史的運命を追う。曇りない眼で文明の核心を見つめる。それはボルジア家であり、ローマ法王庁であり、ヴェネツィアという海の都である。そして人間の美徳と悪徳の分水嶺《ぶんすいれい》に立つマキアヴェッリである。それはひたすら歴史古典や歴史資料そのものに即しながら遂行される理解と解釈という本道である。

作者は作品の導入部に工夫を凝らす。よく映画のタイトル・バックを連想しながら発想するという。これも新世代のイメージ豊かな手法であろう。だから何世紀も前の人物や風景が生き生きと甦《よみが》える。それは決して安易に現代風ではなく、想像しうる限りの時代の再現である。

作者はまた丹念に物語の現地に足を運ぶ。街の構図、建物の位置、大きさ、そして距離を測定し、自ら体で実感する。
しかし、こうした作業を有効ならしめる究極のものは、作者のあくなき人間への興味であり、磨《みが》きをかけた洞察力《どうさつりょく》であろう。最近、『男たちへ』という随筆集が二冊刊行された。こうした直接話法の作品はめずらしいが、彼女が、男と女という基本図式につねに変らぬ新鮮な好奇心をもちつづけている証拠である。この平凡な関係をこれほど躍動的に語れる存在は今日少ない。

最後に強調しておきたいことは、作者の時代感覚である。作者は歴史を語ってその今日への教訓を語らないことを原則としている。通商国家ヴェネツィアの興亡を語ることは、今日の日本の命運を考える上で、こよなく示唆《しさ》的である。しかしその教訓を明示的に語らないことも、作品の効果を大きくしているといえよう。ただ、そのことは作者の今日の日本への痛烈な批評がないことではない。むしろ、今日の日本への最大の批評家として塩野七生は存在している。不甲斐《ふがい》ない現代日本の男性に対する挑発であり、叱咤《しった》であり、愛情であろう。

作者の願いは、日本男性が今日のように野暮ったい、黒っぽい衣裳《いしょう》を捨て、豊かな表現力と演技力をつけることにあるかに見える。そして、女性たちがもっと大胆に、挑発的でありながら、洗練されたマナーの持ち主となることを願っているように見える。

＊

しかし、読者たちは作者の華麗な演技に幻惑されてはならない。次々と生まれる作品群は、作者の修道女のような、単調で禁欲的日常のなかから生まれてきていることを想起すべきだろう。おそらく、今日の著作家のなかで、作者ほど、多産的で、豊かに成熟していっている存在を私は知らない。

作者はいま、カエサルに夢中である。古代ローマの最大の演技者を語る口調は、新しい恋人を得た喜びを想《おも》わせる。どのような作品が生まれるか。私も読者の一人として、心待ちに待っている。

（一九九一年四月、評論家）

この作品は昭和六十年十月新潮社より刊行された。

塩野七生著
チェーザレ・ボルジア
あるいは優雅なる冷酷

ルネサンス期、初めてイタリア統一の野望をいだいた一人の若者――〈毒を盛る男〉としてその名を歴史に残した男の栄光と悲劇。

塩野七生著
コンスタンティノープルの陥落

一千年余りもの間独自の文化を誇った古都も、トルコ軍の攻撃の前についに最期の時を迎えた――。甘美でスリリングな歴史絵巻。

塩野七生著
レパントの海戦

一五七一年、無敵トルコは西欧連合艦隊の前に、ついに破れた。文明の交代期に生きた男たちを壮大に描いた三部作、ここに完結！

塩野七生著
マキアヴェッリ語録

浅薄な倫理や道徳を排し、現実の社会のみを直視した中世イタリアの思想家・マキアヴェッリ。その真髄を一冊にまとめた箴言集。

塩野七生著
サイレント・マイノリティ

「声なき少数派」の代表として、皮相で浅薄な価値観に捉われることなく、「多数派」の安直な〝正義〟を排し、その真髄と美学を綴る。

塩野七生著
イタリア遺聞

生身の人間が作り出した地中海世界の歴史。そこにまつわるエピソードを、著者一流のエスプリを交えて読み解いた好エッセイ。

井上ひさし著

新釈遠野物語

遠野山中に住まう犬伏老人が語ってきかせた、腹の皮がよじれるほど奇天烈なホラ話……。名著『遠野物語』にいどむ、現代の怪異譚。

井上ひさし著

私家版日本語文法

一家に一冊話題は無限、あの退屈だった文法いまいずこ。日本語の豊かな魅力を爆笑と驚愕のうちに体得できる空前絶後の言葉の教室。

芝木好子著

光琳の櫛

櫛を縁として男と出会い、別れ、櫛だけが残る――古櫛の蒐集に狂おしいまでに情熱をそそいで生きる料亭の女主人の情念の世界。

芝木好子著

ガラスの壁

複雑な過去をもつ彫刻家の作品に圧倒され、いつしかその男の生き方を愛し、捨てられるガラス彫刻家篠原瑤子の自立を描く長編小説。

辻　邦生著

安土往還記

戦国時代、宣教師に随行して渡来した外国船員を語り手に、乱世にあってなお純粋に世の道理を求める織田信長の心と行動をえがく。

辻　邦生著

廻廊にて

近代文学賞受賞

愛を失い、結婚に破れ、芸術の空しさを苦汁のようになめつつ、生の意味、芸術の意味を模索し続けた亡命女流画家マーシャの生涯。

ロードス島《とう》攻《こう》防《ぼう》記《き》

新潮文庫　し-12-4

平成三年五月二十五日　発行
平成七年二月二十日　十四刷

著者　塩《しお》野《の》七《なな》生《み》
発行者　佐藤亮一
発行所　株式会社　新潮社

郵便番号　一六二
東京都新宿区矢来町七一
電話　営業部(〇三)三二六六―五一一一
　　　編集部(〇三)三二六六―五四四〇
振替　東京四―八〇八番

価格はカバーに表示してあります。

乱丁・落丁本は、ご面倒ですが小社読者係宛ご送付ください。送料小社負担にてお取替えいたします。

印刷・二光印刷株式会社　製本・株式会社植木製本所

ISBN4-10-118104-7 C0193